보수를 팝니다

황금 알을 낳는 '미운 아기 오리'를 찾습니다!

저희 퍼플카우와 상의하시면 저자의 꿈을 이룰 수 있습니다. 아직 원고가 없어도 좋습니다. 세상에 없던 멋진 아이디어가 있다면 2gobest@gmail.com으로 보내주십시오. 백조가 될 당신의 아이디어, 베스트셀러가 될 때까지 검은 머리 '퍼플'이 되도록 만들어보겠습니다.

Mission: Remarkab!e

보수를 팝니다

대한민국 보수 몰락 시나리오

시사평론가 **김용민**

퍼플카우
Purple Cow

일러두기

이 책에서 보수라는 표현은 보수주의자, 보수 진영, 보수당, 보수단체 등 각종 보수 세력을 총칭하여 사용하였으므로 문맥에 따라 자연스럽게 해독하기 바란다. 가끔 나오는 진보라는 표현에도 같은 원칙이 적용된다.

이 책에서 언급하는 정치인, 종교인을 비롯한 모든 인명에 대하여는 편의상(가독성을 위하여) 이름 외에 직함, 호칭, 존칭 표현 등을 대부분 생략했다. (단, 각자 존경하거나 증오하는 대상일 경우 알아서 호칭을 붙여 읽는 셀프 독서는 얼마든지 허용된다.)

한 평생을 청렴한 목회자로 살아오신
나의 아버지, 김태복 원로 목사님께
존경의 마음을 담아 이 책을 바칩니다.

#3 보수는 어떻게 세일즈하고 있는가

그동안 이기는 싸움에 능했던 보수들에는 뭔가 특별한 것이 있었다. 오랫동안 정국 주도권과 기득권을 장악해온 보수의 전략을 벤치마킹하는 심정으로 분석한다.

#4 보수는 어떻게 몰락하게 되는가

기회주의 보수의 최후가 다가오고 있다. 모태 보수도 위태롭기는 마찬가지다. 2012년, 숙명처럼 다가오는 보수의 몰락을 꼼꼼하게 지켜보자.

Outro. 당당하게, 그리고 유쾌하게

#3 보수는 어떻게 세일즈하고 있는가

#4 보수는 어떻게 몰락하게 되는가

Outro. 당당하게, 그리고 유쾌하게 235

등을 보이지 마라! 당당해야 이긴다 | 즐겁게 싸워라! 웃을 수 있어야 이긴다

Intro.
내가　　　지금　　　보수를　　　파는　　　이유

내가 지금 보수를 파는 이유

;

너희가 보수를 아느냐? 보수는 꼴통이 아니다.
안다고 생각하고 얕보면 또 큰코다친다.
알아야 이길 수 있고, 당하지 않는다.

보수는 왜 그렇게 말하고,
왜 그렇게 행동할까?

보수가 하는 말을 들으면서, 보수가 하는 행동을 보면서, 많은 사람들은
고개를 갸우뚱한다. 그리고 이렇게 묻는다. "도대체 왜 저러지?" 우리나
라 최고의 학벌을 자랑하는 보수 정치인들이 초등학생 수준에도 못 미
치는 무식한 말들을 아무렇지도 않게 내뱉는다. 듣기만 해도 섬뜩한 이
름을 가진 이른바 보수단체들은 마치 최면에 걸린 듯 '빨갱이 척결'이라
는 주문을 외면서 마구잡이 폭력을 휘두른다. 정말로 궁금하다. 그들은
왜 그렇게 말하고, 그들은 왜 그렇게 행동할까? 그건 그렇고 더 궁금한

것이 있다. 왜 많은 사람들이 저렇게 이해 안 가는 사람들을 지지하고, 선거 때만 되면 마치 기계처럼 저들에게 표를 던져왔던 걸까?

사실은, 나 역시도 그런 기계들 가운데 하나였다. 보수의 가치를 믿었고, 보수는 예로부터 내려오는 좋은 전통을 지키는 것이라고 생각했고, 그래서 보수가 이 나라를 바로잡아 줄 것이라고 믿었다. 하지만 개인적으로 쓰라린 경험을 몇 차례 겪고 나서야, 내가 생각하고 믿었던 보수가 대한민국에서는 환상에 불과했다는 사실을 깨달았다. 그 때 나는 미련 없이 보수에서 떠났다.

돌이켜보니, 내가 알아야 할 정치의 모든 것은 보수에게서 배운 것일지도 모르겠다. 그 당시 내가 청년 보수로서 가졌던 믿음, 보수주의자들을 만나서 얻었던 경험들은 오랫동안 많은 교훈이 되었기 때문이다. 그 당시에 겪었던 경험과 상처와 고민들이 오늘날의 시사평론가 김용민을 만들었다. 그리고 그 때의 일들이 "보수는 왜 그럴까?"와 같은 의문에 대해 나름대로의 분석과 해답을 내는 데 필요한 자양분이 되었다.

'보수를 팝니다'의 두 가지 의미

'보수를 팝니다'란 말에는 두 가지 뜻이 있다. 하나는 물건을 사고팔듯이 보수를 파는 것을 말한다. 대한민국 최고의 히트 상품은 삼성 갤럭시(또는 애니콜)도 아니고 농심 새우깡도 아니다. 한국의 현대사에서 가장 오랫동안 베스트셀러 자리를 지켰고 지금도 가장 잘 팔리고 있는 히트 상품은 바로 '보수'다. 돈과 기득권을 가진 이들은 오랫동안(그것도 성공적으로) 보수를 팔아 왔다. 이들은 보수를 팔아 자신들의 이익을 챙겼지만 정작 보수의 진정한 가치나 철학에는 관심이 없다. 마치 인터넷 쇼핑몰에서 값비싼 명품 백을 샀는데 배달된 상자에는 벽돌만 들어 있는 꼴이다. 문제는 아직도 많은 사람들이 그 벽돌이 명품인 줄 착각하고 있다는 것이다. 과연 이 땅의 보수는 어떻게 포장되어 어떻게 팔려 나가는가? 왜 '명품 벽돌'은 여전히 날개 돋친 듯 팔리고 있는가? 이제 우리는 경제학자와 같은 눈으로 이들의 세일즈 전략을 살펴볼 필요가 있다. 이것이 '보수를 팝니다'의 첫 번째 의미다.

'보수를 팝니다'의 또 한 가지 뜻은 '파들어 간다'는 것이다. 보수의 겉모습만 본다면 '왜 그러는지'에 대해 이해하기 어려운 게 당연하다. 이들을 제대로 이해하기 위해서는 겉모습 뒤에 무엇이 숨어 있는지, 눈에 보이는 표면 아래에는 어떤 거대한 피라미드 구조가 자리 잡고 있는지를 봐야 한다. 보수라고 해서 다 같은 보수가 아니다. 보수 역시도 진보 진영만큼이나 다양한 종류들이 있고, 이들이 때로는 서로 손을 잡고 때로는 격돌하기도 하면서 맺어지는 관계가 커다란 보수의 생태계를 이루고 있다. 그렇기 때문에 우리는 고고학자처럼 보수의 밑바닥을 열심히 파 들어가 보고, 생물학자처럼 보수를 여러 가지 종류로 분류하여 각각의 종(부류)이 어떤 먹이사슬과 공생관계를 이루고 있는지 따져 봐야 한다. 이것이 '보수를 팝니다'의 두 번째 의미다.

보수, 알아야 이긴다

'보수를 이해해 보자' 라고 말하면 "그럼 보수를 이해하고 좋게 봐 주자는 뜻이야?" 라고 따질지도 모르겠다. 이해하는 것은 봐 주자는 뜻도 아니고 용서해 주자는 뜻도 아니다. 좀 과격한 예가 되겠지만, 사건을 수사하는 형사가 범행 동기나 범죄 심리를 이해하려고 해보는 원리와 비슷하다. 보수를 이기고, 보수를 극복하기 위해서는 보수가 왜 그렇게 말하고 행동하는지, 겉으로 봐서는 이해가 안 가는 보수의 모습 뒤에 어떤 속셈이 깔려있는지를 간파해야 한다. 그래야만 그들의 계략에 속아 넘어가지 않고 오히려 카운터펀치를 먹일 수 있다.

우리는 이미 이명박 정권 내내 민주주의가 후퇴하고, 헌법으로 보장된 자유와 권리가 심각하게 위축되는 현상을 목격했다. 그런데 이제는 진보 진영의 목을 조르기 위해서 동원된 많은 꼼수들이 거꾸로 보수의 목을 조르기 시작하고 있다. 국회의원 선거와 대통령 선거로 이어지는 2012년은 자기 덫에 자기가 걸려 버린 보수가 본격적으로 몰락의 길을 걷는 한 해가 될 것이다.

아무리 그렇더라도 감나무 밑에서 입만 벌리고 있으면 자동으로 말랑 말랑한 감이 입 속으로 쏙 들어오지는 않는다. 잘못하다간 이마에 떨어져서 얼굴만 더러워질 수도 있고, 하필 딱딱한 땡감이 떨어져서 이가 부러질 수도 있다. 보수가 몰락의 길을 걷게 된다고 해도 그것이 자동으로 진보 진영의 대박으로 이어지지는 않는다는 얘기다. 진보 진영도 미리 미리 그 이후를 준비해야 한다. 그렇지 못하면 단시간에 이루어지는 변화의 거센 물줄기를 감당하지 못하고 자칫 휩쓸려가 버릴 수도 있다. 우물쭈물하다가 진보의 집권은 또 짧게 끝나고, 보수에게 부활의 시간만 벌어주는 꼴이 될지도 모른다.

이겨도 지는 보수, 죽어야 사는 진보

이제 우리는, 보수를 제대로 꿰뚫어 이해하고, 2012년과 그 이후를 보내며 기회주의 보수의 철저한 몰락을 꼼꼼하게 지켜봐야 한다. 진보 진영은 5년 임기 안에 모든 것을 끝내야 한다는 압박에 시달리지 말고 진보의 큰 그림을 차근차근 실행해 나가는 시대로 만들어야 한다. 이러한 과정 속에서 보수도 제대로 된 철학과 가치를 지닌 진정한 보수로 거듭나야 한다. 그래야만 보수 역시도 언젠가 집권을 노려볼 수 있는 건강한 정치 구도가 이 땅에 만들어지게 될 것이다. 내가 이 책을 통해 열심히 보수를 '파는' 이유는 여기에 있다.

진보와 보수, 모두가 제대로 된 가치와 철학을 가지고 경쟁하는 정치 구도가 만들어진다면 그 때 비로소 진정한 민주주의가 뿌리내릴 수 있을 것이다. 버그 투성이인 대한민국이 하루가 멀다 하고 에러 메시지를 쏟아내는 이 엄중한 시기에, 우리의 민주주의가 제대로 버전 업을 이루기를 기대해본다. 그 버전 업을 위한 수많은 설치 파일 중에 하나로 이 책이 살짝 포함될 수 있다면 더 없는 영광이겠다.

보수
주식회사에
사표를
던지다

소년 보수 김용민의 꿈과 희망

;

청렴한 목회자인 아버지를 보며 보수의 꿈을 키웠던 어린 시절,
나는 어딘가에는 진정한 보수가 있을 거라고 믿었다.

나에 대해서 알고 있는 사람이 '김용민'이라는 이름을 들었을 때, 아마도 가장 먼저 떠올리는 것은 '시사돼지'라는 별명, 그리고 '목사 아들'이라는 출신 성분일 것이다. 우리나라에서 많은 사람들에게 기독교와 목사라는 말은 보수와 거의 비슷한 단어처럼 여겨지곤 한다. 지금은 현직에서 은퇴하신 아버지는 커다란 건물과 번쩍이는 십자가로 대표되는 대형 교회와는 거리가 먼, 가난한 작은 교회의 담임목사였지만 굳이 성향을 따져 본다면 보수에 가까운 분이다. 아버지가 늘 보시던 신문은 〈조선일보〉였다. 그러니 나 역시도 어렸을 때부터 아주 자연스럽게 보수의 조기교육을 받을 수밖에 없는 환경이었다.

또래 아이들이 다 그렇듯이, 나도 텔레비전을 무척이나 좋아했다. 어렸을 때에는 다른 아이들처럼 만화영화에 푹 빠져 있었지만 초등학교 3학년쯤부터 친구들과는 다른 길(?)을 조금씩 걷기 시작했다. 처음에는 스포츠에 관심을 가지다가 점점 다큐멘터리나 뉴스로까지 관심 분야가 넓어졌다. 중학교 1학년 때쯤에는 뉴스를 보고 친구들에게 시사에 대한 나름대로의 어쭙잖은 비평까지 늘어놓을 수 있을 정도가 되었다. 그 때 장래희망이 지금 내가 밥 벌어 먹고사는 '시사평론가'까지는 아니었지만 그래도 어른이 되어 방송사나 신문사와 같은 곳에서 일하는 내 모습을 그려보곤 했다. 지금보다는 훨씬 날씬한 몸매로.

어릴 적 나의 정치적 관점을 만들어 준 스승은 〈소년조선일보〉와 〈중학생조선일보〉, 그리고 오리지널 〈조선일보〉까지 이어지는 라인이었다. 최근 들어서 신문사들마다 NIE(Newspaper in Education), 곧 신문을 교육에 활용하는 프로그램을 경쟁적으로 운영하고 있다. 물론 가장 적극적인 신문사들이 조중동인 것은 말할 필요도 없다. 신문을 통해서 아이들에게 사고력과 논리적인 글쓰기를 가르친다는 취지를 내세우고 있긴 하지만 그 뒤에 깔려 있는 속셈이 있다. 하나는 신문 시장이 점점 온라인에 밀리고 있는 상황에서 자신들의 시장 입지를 확보하기 위한 몸부림이다. 또 하나는 NIE를 통해서 자기네 신문사가 가진 사고방식(특히나 조중동이라면 보수적인 사고방식)을 아이들에게 자연스럽게 주입시키고 자기 매체에 대한 신뢰를 일찌감치 뿌리내리게 한다는 계산이다. 나는 NIE라는 말이 나오지도 않은 시절에 신문을 통한 '보수 조기교육'의 모범적인 본보기였던 셈이다.

나는 '보수 꿈나무'로 자라오긴 했지만 그렇다고 해서 속된 말로 '꼴통 보수'와 같은 종교적인 맹신이나 진보에 대한 밑도 끝도 없는 적대감으로 꽉 차 있지는 않았다. 내가 그 때 만약 꼴통 보수였다면 "광주사태는 빨갱이들의 폭동이다!" 라고 떠들고 다녔을 것이다. 하지만 광주민중항쟁이 왜 일어났고 그 가치가 무엇이었는가, 전두환 노태우는 어떤 나쁜 짓을 저질렀는가에 대해서는 짧은 생각으로나마 이해할 수 있었다. 나쁜 보수도 있겠지만 그래도 본질적으로 보수는 좋은 것이라고 생각했다.

보수라는 것이 무엇인가? 전통적인 가치, 소중한 가치, 도덕과 예의를 지키는 것이 아닌가? 말하자면 고고한 선비와도 같은 것이다. 임금을 공경하되 필요할 때에는 목에 칼이 들어와도 바른 말을 하는 충신이 바로 올바른 선비가 아니겠는가? 나는 그런 정신을 가진 진정한 보수가 분명 있을 거라고 믿어 의심치 않았다. 십대를 지나서 대학교 4년을 마칠 때까지 내가 간직하고 있던 희망은 그것이었다.

진정한 보수가 있을 거라는 희망을 가질 수 있었던 큰 이유 가운데 하나는, 내가 생각하는 가장 모범적인 보수주의자가 실제로 있었기 때문이었다. 바로 아버지였다. 비록 당신은 보수적 사고를 가지고 계셨지만 그 생각을 자식들에게는 절대 강요하신 적이 없었다. 내가 훗날 보수로부터 차츰 등을 돌리게 되었을 때에도, 적극적으로 활동에 나섰을 때에도, 아버지는 한 번도 나의 생각을 부정하거나 마음을 바꾸어 놓으려고 하지 않으셨다. 다만 이렇게 말씀하실 뿐이었다. "그만큼 네가 생각하고 결정한 일일 테니 알아서 해라." 누나와 나, 그리고 남동생까지 삼남매 모두가 아버지와는 정치적으로 다른 관점을 가지고 있지만 그 모두를 다 인정하셨다. 많은 사람들이 보수에 대해서 꽉 막히고 다른 생각을 인정하려 들지 않는다고 생각하지만, 나는 우리 아버지와 같은 모범적인 보수주의자도 분명 있다고 믿는다.

목회 활동에서도 아버지는 그야말로 선비 같은 모습이었다. 더 큰 건물을 짓고, 더 많은 교인들을 확보하는 데에 혈안이 된 개신교 주류의 분위기와는 한참이나 거리가 먼 분이었다. 훗날 현역에서 은퇴하실 때, 아버지는 아예 교회를 떠났다. 아무리 은퇴했다고 해도 그 교회에 남아 있으면 어떤 식으로든 부담을 안겨주는 셈이라면서 다른 교회의 평범한 신자로 머무르시겠다는 게 당신의 생각이었다. 고고하게 살아오신 아버지를 존경했고, 분명 이 사회에는 아버지 같은 도덕적인 보수가 있을 거라고, 그런 사람들이 이 나라를 바로세워주고 잡아줄 거라고 생각했다.

그 때 진보에 대한 내 생각은 어땠는가 하면, 두 가지 점에서 영 마음에 들지가 않았다. 첫 번째는 '앉아서 남 씹는 것밖에 모르는 편협한 족속'들이라는 것이 전반적인 느낌이었다. 별로 현실적인 대안은 없으면서 조롱하고 비난하는 게 전부인 사람들, 상대방을 인정하려 들지 않고 무조건 혁명해서 쓰러뜨려야 한다고 외치는 게 내 눈에 비친 그들의 모습이었다.

두 번째는 예의에 관한 문제였다. 마오쩌둥이 문화혁명 때 내세웠던 구호가 비림비공(批林批孔), 즉 '린뱌오를 비판하고 공자를 비판한다'였다. 마오는 "종교는 인민의 아편이다"라는 말처럼 종교를 적대시했고, 특히 공자의 사상, 즉 유교를 철저하게 탄압했다. 세상을 뒤집는 혁명을 하기 위해서는 예의조차도 걸림돌일 수밖에 없다는 게 마오의 생각이었다. 하긴, 예의범절 다 따져 가면서 어떻게 반란을 일으키고 혁명을 할 수 있나? 그런데 이제는 중국 국민들을 단결시킬 사상적 지주로 공자를 내세우고, 마오쩌둥의 대형 사진이 걸려 있는 천안문광장에서 공자 동상 제막식이 열리기까지 했으니, 한마디로 격세지감이다.

예의범절은 사람이 가져야 할 기본적인 도리라고 생각했고, 동물과 사람을 구분하는 중요한 특징 가운데 하나라고 생각했던 나로서는 좌파의 모습은 그야말로 '이런 싸가지 없는 것들'이었다. 어른을 공경하고, 서로 간에 겸손한 마음으로 정중하게 예의를 지켜서 살아간다면 세상이 얼마나 평화롭고 아름답겠는가. 그런데 좌파란 것들은 말이지, 그래도 미우나 고우나 한 나라의 대통령인데, 어떻게 그렇게 싸가지 없이 비웃고 조롱하냔 말이다. 이게 당시의 내 생각이었다.

지금 와서 생각해 보면 내가 진보나 좌파에 대해서 가지고 있었던 부정적인 생각은 정보의 부족, 인식의 결핍이 원인이었던 것 같다. 청년 보수가 늘어난다는 식의 신문기사들이 종종 눈에 띄는데, 그들이 보수적인 사고방식을 가지게 된 원인도 알고 보면 제한적인 정보 섭취와 논리적인 인식의 부족이 아니었을까. 아무튼 〈조선일보〉의 따뜻한 품속에서 "나는 보수다!"를 자랑스럽게 외치던 소년 보수가 나중에 커서 〈나는 꼼수다〉 PD가 될 거라고는 정말이지, 꿈에서조차 생각 못할 일이었다.

보수는 **선비**이고 **예의**를 중시하는 거라고만 생각했다.
그것은 **착각**이었다.

내가 만난
대한민국 보수의
맨얼굴

;

누구에게나 첫 직장은 남다른 의미가 있다. 평생 가는 경험이니까.
나는 첫 직장을 잃고부터, 서서히 나를 찾게 되었다.

〈조선일보〉의 가르침을 알알이 받아들여서 소년 보
수에서 청년 보수로 성장하여 대학을 다니던 시절,
인터넷의 전신이라 할 수 있는 PC 통신이 사람들에
게 인기를 끌면서 청와대에서도 PC 통신에 '청와대
한마당'이라는 서비스를 운영했다. 이곳의 게시판은 당시
글 좀 쓴다는 사람들이 우르르 몰려들어서 그야말로 글로 치고 받고 싸
우는 논쟁의 장이었고, 나 역시도 그곳에서 청년 보수로서 하루가 멀다
하고 글을 올리면서 논쟁에 가담했다.

그 당시는 김영삼 정권 시절이었다. 처음에는 좀 미적거리기는 했지만

결국에는 전두환 노태우를 법정에 세우고 단죄한 사람이 김영삼이었다. 하나회 척결이나 금융실명제와 같은 큰일도 한 대통령 아닌가? 이 정도의 성과를 거둔 사람이면 그 진정성을 인정도 해줄 법한데, 진보 좌파 녀석들은 인정은커녕 계속해서 의심만 하고 있었다. 예의 없이 대통령을 끝까지 물고 늘어지면서 비웃고 조롱하는 데에만 열을 올리는 싸가지 없는 족속들! 내 눈에 진보는 본질을 무시하고 표면적인 것에만 집착하는 집단, 그리고 의심을 위한 의심에 푹 빠진 사람들로밖에는 비치지 않았다. 날이면 날마다 키보드를 무기 삼아서 청와대 게시판에서 저악의 무리들과 사이버 십자군 전쟁을 치르는 나의 마음속에는 청년 보수의 순결한 신심(?)이 활활 불타오르고 있었다.

지금 와서 돌이켜 보면 대통령이나 시장, 또는 회장과 같이 최상위권 수준으로 힘이 있는 권력자들에게는 굳이 예의를 갖추려 하지 않아도 되지 않나, 하는 생각마저 든다. 물론 그들에게 무조건 버릇없이 굴어야 한다는 말은 아니다. 그들의 위치와 권력에 압도되어 예의를 중시한 나머지 할 말도 못하고 잘못을 바로잡지 못한 채 당하기만 하는 일은 없어야 한다는 것이다. 내가 아니라도 힘 있는 사람들 주위에는 예의 바른 사람들이 얼마나 많은가. 예의를 뛰어넘어 손금이 마르고 닳도록 비벼대면서 아첨에 열을 올리는 사람들이 우글우글하니까.

잠시 여담인데, 훗날 내가 결국 보수를 떠나고 얼마 뒤에 만난 어떤 사람이 내 이메일 아이디를 보더니 대뜸 물었다. "당신 혹시, 천리안 청와대 게시판에서……." 헉! 알고 보니 그 사람은 그 때 그 시절 정말 치고 받고 싸우던 논객 중에 한 명이었다. 나는 그 사람이 내 PC 통신 아이디를 기억하고 있다는 사실에 놀랐고, 그 사람은 청년 보수였던 나의 변화에 깜짝 놀랐다. 지금까지 좋은 친구로 지내고 있는 그 사람은 바로, '고소영 강부자 라인'이라는 말로 이명박 정권에게 처음으로 '빅엿'을 날려 주셨던 블로거 MP4/13이다.

대학 생활이 거의 끝나갈 무렵, 목사 아들이라는 출신 성분에다가 청년 보수라는 사상적 배경까지 더해져서 개신교계에서 잘 나가던 보수 인사들의 눈에 내 모습이 조금씩 들기 시작했고, 이를 계기로 기독교계 라디오 방송사인 극동방송에 입사할 수 있게 되었다.

극동방송과 김장환의 실체

먼저, 극동방송의 소유주인 김장환 목사라는 인물에 대해서 짚고 넘어가자. 김 목사는 한국전쟁 당시 미군의 하우스보이로 일했다. 그러다가 부대에서 근무하던 한 미군의 눈에 띄어 그의 도움으로 1951년 미국으로 건너갔다. 이후 밥 존스 재단이 운영하는 학교에서 중학교부터 대학교 과정까지 마치고 목사가 되었다. 그런데 이 밥 존스 재단이 어떤 곳인지가 중요하다.

밥 존스 재단이 운영하는 학교는 심지어 김 목사 자신의 홈페이지에서 조차도, "극보수라고 불릴 정도로 엄격하고, 근본주의 신학을 신봉하는, 유서 깊은 기독교 학교였다"라고 소개할 정도다. 그뿐만이 아니다. 〈조선일보〉도 2000년 2월 25일자에서 "이 기독교 사립대학은 서로 다른 인종간의 데이트를 금지하고 있는 시대착오적인 학교"라고 묘사했다. 시대착오적인 논리의 대표 격인 〈조선일보〉한테 '시대착오'라는 말을 듣다니, 이쯤 되면 말 다한 학교다. 그런데 김 목사는 정말로 놀라운 능력을 발휘하여 이곳에서 백인 동문을 사귀고 결혼까지 성공했다.

설립 당시에는 백인 이외의 유색인종은 입학조차 허락하지 않을 정도로 인종 차별적인 성향을 지니고 있는 학교였고, 가톨릭도 이단으로 볼 정도로 근본주의에 물들어 있었다. 조지 부시 대통령과 그의 지지 기반인 네오콘의 배경에도 밥 존스가 있다. 부시가 대선 출마를 위한 연설(kick off speech) 장소로 택한 곳이 바로 이 학교였던 것만 봐도 알 수 있다. 이곳을 다닌 김 목사는 자신의 홈페이지에 "까다롭기로 악명 높은 밥 존스의 규율을 한 번도 어기지 않아 8년간의 학교생활 동안 단 1점의 벌점도 받지 않는 놀라운 생활태도를 보였다"고 자랑해 놓았다. 이쯤 되면 그의 성향이 어떤지는 충분히 짐작할 수 있을 것이다.

김장환에게 미국은 선, 그 자체였다. 그렇다면 그는 5.18에 대해서는 어떤 생각을 가지고 있었는가? 그의 생각을 잘 말해주는 일화가 있다. 5.18을 맞이해서 극동방송의 어느 프로그램에서 진행자가 이런 말을 했다. "5.18 ○○ 주년을 맞아서 그 당시 상처 입은 분들이 영혼의 치유를 얻기를 바라며⋯⋯." 이 정도라면 어느 방송사에서나 5.18이면 들을 수 있는, 평범한 수준의 말에 불과했다. 하지만 김 목사는 그 사실을 알고 곧바로 진행자의 마이크를 빼앗았다. 그럴 정도이니 김영삼 시절에도 전두환을 찬양하고 노태우를 만나러 다닌 그의 행태는 어쩌면 당연한 것인지도 모르겠다. 그러다가 1997년, 이 방송사가 제대로 사고를 친 일이 벌어졌다.

1997년이면 이회창 후보와 김대중 후보가 대권을 놓고 치열한 다툼을 벌인 대통령선거가 있던 해였다. 선거운동이 한창이던 11월 15일의 일이었다. 그날은 마침 추수감사절이어서 김 목사가 담임으로 있던 수원 중앙침례교회의 추수감사예배 실황이 극동방송을 통해서 생중계 되고 있었다. 그런데! 방송이 한동안 나가고 있을 때, 김 목사는 느닷없이 이회창 후보의 부인인 한인옥 씨를 강단에 세워 인사를 하게 한 것이다.

특정 후보의 부인을 방송에 출연시켜서 인사를 하도록 했으니, 그 파문
이 일파만파로 번진 것은 말할 필요도 없었다. 문제가 확대되자 방송사
측은 부랴부랴 변명을 내놓았다. "생방송 중 예상하지 못한 돌발적인 상
황"이었다는 것이다. 어처구니가 없었다. 그런 어쭙잖은 변명을 누가 믿
겠나? 그 당시 예배의 사회를 본 사람이 김 목사 자신이었고 한인옥을
소개시킨 사람도 그였다. 한 여사가 〈우정의 무대〉마냥 갑자기 무대 위
로 뛰어 올라와서 '나 좀 소개시켜 줘!' 하고 난리를 친 것도 아닌데 돌
발사태라니, 그게 말이 되나?

실망은 했지만 환상을 버리지 못해
입사한 보수 주식회사

어쨌거나, 극동방송의 애청자 중에 한 명이었던 청년 보수 김용민은 이
런 행태들에 '아니, 이 분이 왜 그러시지?' 하고 고개가 갸우뚱해지지 않
을 수 없었다. 하지만 그런 의문들은 어렴풋한 수준에 불과했고, 아직
까지 보수에 대한 환상에서 벗어나지 못했던지라 이듬해 8월, 방송사
에 입사하게 되었다.

방송사 안에서 목격하게 된 실상은 바깥에서 어렴풋이 느꼈던 것보다

훨씬 충격적이었다. 나는 어렸을 때부터 CCM(Contemporary Christian Music, 현대 기독교 대중음악)을 좋아했고 그래서 기독교계 방송사에 입사하게 되면 프로그램에서 CCM을 마음껏 틀 수 있을 거라고 생각했다. 그런데 실상은 그게 아니었다. 한 번은 사장이 주최하는 집회에 CCM 계에서 잘 나가는 가수들을 섭외했는데, 그 중에는 당시 CCM계에서는 국민가수 급으로 꼽히던 어떤 분도 있었다. 하지만 그 분은 때마침 다른 일정이 있었기 때문에 사장의 출연 제의를 거절할 수밖에 없었다. 상식적으로 보면 아무 문제될 게 없었다. 미리 잡혀 있던 다른 일정과 겹치는데 어쩌겠는가? 하지만 방송사에서는 그에 대한 보복으로 그 가수의 모든 노래를 방송금지곡으로 묶어버렸다. 갑자기 마음속이 갑갑해져 왔다. 방송사는 공적 기관이 아닌가? 그런데 그 가수가 잘못을 저지른 것도 아니고, 단순히 사장의 제의를 거절했다고 괘씸죄로 방송금지를 시키는 게 말이 되는 얘긴가? 아무리 생각해도 이건 아니었다.

그밖에도 회사에는 여러 가지 제약들도 많았다. 술 담배를 못하게 하는 것은 이해할 수 있었다. 물론 전세계 어느 기독교도 우리나라처럼 술 담배를 아예 틀어막는 경우는 드물지만, 거기에는 일제강점기 때 술 담배에 빠져 현실을 잊도록 조장한 일제에 맞서려 했던 선교사들의 정신이 있으니까. 그러나, 다른 회사에서는 거의 다 허용하는 대학원 진학마저도 금지시키는 것은 이해가 가지 않았다. 아마도, 그런 식으로 자

기계발을 통해서 직원들이 더 똑똑해지면 마음대로 부려먹기 힘들어진
다고 생각했던 건 아닐까? 나의 첫 보수 주식회사인 극동방송, 그리고
김장환은 내가 처음으로 대한민국 보수의 실체가 무엇인지 그 맨얼굴
을 볼 수 있게 해 주고, 보수에 대한 환상을 깰 수 있게 해 준 고마운 은
인(?)이었던 셈이다.

나는 극동방송이 아니라,
보수 주식회사에 들어간 것이었다. 그 때 만난 보수의
맨얼굴은 천사의 얼굴을 한 **독재자**였다.

"루터처럼
종교개혁 하려면
나가서 하지"

;

나는 그저 잘못을 잘못이라고 말한 것뿐이었다.
다시 들어간 회사도 '보수 주식회사'로 밝혀졌고,
결국 나는 싸움꾼이 되어갔다.

입사 초기엔 지방 근무를 했던 나는 얼마 안 있어 서울 본사로 발령이 났다. 그 무렵, 김장환의 자서전이 출간되었다. 그리고 전 직원에게 특명이 떨어졌다. 그것은 바로 서점 사재기. 당시 자서전은 상하권으로 출간되었는데 상하권을 한꺼번에 사면 사재기가 들킬 수도 있으니까 처음에는 상권만 산 다음에 1주일쯤 뒤에 하권을 사라는, 섬세한 구매요령까지 상부로부터 내려왔다.

개신교 보수의 추악한 실체

출판기념회가 있던 날에는 더 어이없는 일도 있었다. 방송사와 그 직원은 김 목사 개인의 사적인 소유물이 아닐진대, 아무리 민영 방송이라고 해도 엄연한 공적 기관이건만 그 날은 미용실 하나를 단체 예약해서 모든 여직원들에게 머리를 손질하게 하고 한복을 입혔다. PD고 사무직이고 직무와 관계없이 여자 직원 전원이 그 대상이었다. 그 광경을 본 나는 나중에 이런 얘기를 했다. "아마 대한민국에서 모든 여직원을 단체로 머리단장 시키고 한복 입히는 회사는 여기하고 유흥업소 밖에 없을 걸?"

당시 기념회에는 전두환, 노태우를 비롯해서 정관계의 유명 인사들, 그리고 조용기와 그 아들을 위시한 종교계 지도자들이 대거 참석했다. 김 목사의 영향력은 분명 대단했다. 그런 사람들을 한 자리에 모아놓을 수 있는 사람은 대한민국에서 아마 몇 명 되지 않을 것이다. 어쩌면 김 목사 말고는 없을지도 모른다. 하지만 그 기념회의 모습을 지켜보고 있던 내 마음 속에서는 이런 생각이 싹트고 있었다. '아무리 먹고살기 위해 하는 일이라고 하지만, 이런 방송사에 내 평생을 맡긴다는 건 인생이 너무 아깝지 않은가.'

회사 안에 켜켜이 쌓여 있던 문제는 단지 특정인 한두 사람만의 문제가 아닌 구조적인 문제였다. 그리고 그것은 극동방송만의 문제가 아니었다. 나에겐 한국 개신교계에 부정과 부패가 얼마나 심각하게 퍼져있는지 조금씩 눈을 뜬 계기가 되었다. 목사는 마치 하나님과 형제라도 되는 것처럼 행세하고, 교회 내부는 아부의 구조가 공고하게 구축되어 있었다.

나는 이 무렵 개인 홈페이지를 열었고, 이곳에 타락한 목사들을 비판하는 글들을 올리기 시작했다. 2000년 광림교회 김선도 목사가 아들에게 교회를 물려주려고 했던, 이른바 '교회세습 파동'이 일어났을 때 김 목사를 잘근잘근 씹듯 비판하는 글을 올린 것에서부터 나는 슬슬 눈 밖에 나기 시작했다. 그리고 결정적인 계기는 조용기를 비판한 글이었다.

당시 조용기가 아들 조희준의 사업에 자금을 지원해서 탄생한 신문이 바로 〈스포츠 투데이〉였다. 신문 제목은 이랬지만 속을 들여다보면 그야말로 〈섹스 투데이〉라고 해도 좋을 만큼 낯 뜨거운 사진과 만화로 도배가 되어있다시피 했다. 교회 신자들이 낸 헌금으로 어떻게 그런 저질 성인신문을 낼 수 있는가? 그런데 이 신문의 음란성 논란이 한창이던 2000년 8월에 조 목사가 월간 〈신동아〉 인터뷰에서 한 말은 더욱 가관이었다. "우리 아들도 먹고살아야 할 것 아닌가."

아들이나 아버지나 타락의 극치였다. 이 인터뷰를 보고 그야말로 뚜껑이 열린 나는 개인 홈페이지에다 조용기와 그 아들에 대한 비판의 글을 올렸다. 그랬더니 곧 반응이 왔다. 그것은 바로 사직 강요였다. 김장환은 나에게 이렇게 말했다. "루터처럼 종교개혁 하려면 나가서 하지." 개신교는 루터의 종교개혁의 산물이다. 그런데 루터의 자손이라 할 수 있는 개신교 목사가 나에게 한 말이 '루터처럼 할 거면 나가라'였다. 그 일이 있은 지 10년 뒤, 내가 루터대학교에서 강사를 하고 있으니, 이것도 역사의 아이러니일까?

그들에게 가치 있는 것은
오직 돈과 기득권

김장환은 내 글이 옳은가 그른가에 대해서는 한마디도 하지 않았다. 당연하지, 내용이 옳은데 할 말이 뭐가 있었을까. 하지만 그는 마지막에 중요한 한마디를 덧붙였다. "조용기 목사가 큰 아들 문제에 관해서는 매우 민감하다." 아하, 왜 내가 이런 신세가 되는 건지 정확하게 감이 왔다. 그리고 어떻게 조용기 부자가 교회 신자들의 헌금을 받아서 포르노가 부럽지 않을 신문을 만들 생각을 뻔뻔스럽게 하고 있었는지도 짐작이 갔다. 아무튼 그렇게 해서 나는, 방송사에서 짐을 쌀 수밖에 없었다.

극동방송에서 내가 배운 것은 '그들(보수)은 옳고 그름에 대해서는 관심이 없다'는 사실이었다. 입만 열면 원칙을 얘기하고, 질서와 가치를 역설하지만 실상은 말장난에 불과했다. 그들에게 가치가 있는 것은 오로지 돈과 기득권뿐이었다. 김장환은 내 주장이 틀렸기 때문이 아니라, 조용기와 자신과의 관계 속에서 얻을 수 있는 기득권을 내가 위협했기 때문에 나보고 나가라고 한 것이다. 그것을 자기 입으로 고백한 꼴이 되었으니 그 때만큼은 김 목사도 잠시나마 솔직해진 셈이다.

그런 꼴을 겪었는데도 불구하고 여전히 나는 보수에 대한 환상을 완전히 깨지는 못했다. 그저 보수 중에는 이런 어처구니없는 족속들도 있구나, 김장환이란 사람은 그런 인간이었구나, 하는 정도로 생각했을 뿐, 한국에서 '보수'라는 이름을 달고 사는 사람들의 전형적인 패턴이라고 꿰뚫어보는 통찰력까지는 얻지 못했다. 여전히 내 인식은 안이한 수준이었고, 그래도 어딘가 분명히 제대로 된 보수가 있을 거야, 하는 꿈을 버리지 못했다.

보수 주식회사를 나와
새로운 보수 주식회사로

극동방송을 나와서 백수로 지내던 시절, 2001년 초에 우연한 기회로 기독교 행사에 관여하게 되었다. 때는 추운 겨울이었고 장소는 세종문화회관이었는데 과연 어떻게 최대한 많은 사람들을 채울지가 과제였다. 나는 동분서주 고군분투했고, 결과적으로 말하면 좌석을 모두 채우는 데 성공했다. 그 일로 몇몇 교계 사람들이 '거룩한 삐끼' 김용민을 "그 친구 능력은 있더구먼!" 하며 좋게 평가해 주었고, 그 덕분에 CTS 기독교 TV에 입사할 수 있었다.

CTS의 분위기는 극동방송과 비교하면 한마디로 천당이었다. 모든 것을 간섭하고 억압하던 극동방송의 김장환과는 달리 CTS의 대표는 많은 부분에서 자율권을 인정해주었고, 제작진을 믿어 주었다. 내 관심분야였던 CCM에 대해서도 '그 방면의 좋은 프로그램이 많이 개발되어야 한다'고 격려해주었다. 그래, 보수에는 김장환 같은 사람이 있는가 하면 CTS의 대표 같이 좋은 사람도 있는 거 아니겠어? 역시나 내 희망은 틀리지 않은 듯했다.

그런데 어느 시점에서부턴가 왠지 이상한 분위기가 느껴졌다. 갑자기

"회사가 어렵다"는 소리가 들리더니 구조조정이라는 이름으로 선배 직원들을 잘라내려는 움직임이 시작되었다. 대표가 부임하기 전부터 일하던 사람, 그리고 부임 뒤에 뽑은 사람들로 편을 가르고는 예전부터 일하던 사람들을 내쫓으려고 일을 꾸미는 것이었다. 아니 어떻게 그런 발상을 할 수 있나? 도저히 이해가 가지 않았다.

당시 CTS에는 선배 직원들이 주축이 된 노조가 있긴 했지만 휴면 상태나 마찬가지였다. 그런데 회사 측에서는 말 잘 듣는 자기 사람들만 남겨놓고 다 자르겠다는 꿍꿍이를 부린 것이었다. 그 때 나는 대표가 신임하는 사람으로 분류되었으니까 그냥 가만히 있었으면 지금까지도 별일 없이 잘 있었을지도 모르겠다. 하지만 그런 몰상식한 발상을 참을 수가 없었다. 그래서 노조에 가입해버렸다. 지금 생각해보면 참 치기 어린 행동이었다. 미량의 공명심과 자만심, 누구는 살고 누구는 죽나 모두 같이 살아야지, 하는 정의의 사도인 척하는 마음들이 뒤섞인 결과였으니까.

처음엔 치기였는지는 몰라도 그 일을 계기로 나와 내 주변의 현실에 대해서 서서히 눈을 뜰 수 있게 되었다. 그 이후 회계 부정을 비롯한, 전에는 몰랐던 회사의 어두운 비리들이 하나둘씩 보이기 시작했고 우리는 가만히 있지 않았다. 그런 상황을 감 좋은 대표가 보고만 있을 리가 있나? 사태는 회사와 노조 사이의 충돌로 번지고, 결국 구조조정이라는 이름으로 또다시 다른 노조원들과 함께 쫓겨나는 신세가 되었다. 그 뒤 CTS 대표는 횡령과 배임을 비롯한 각종 부정과 비리로 2006년에 구속되는 수모를 당했고 두 차례나 유죄 판결을 받았다. 나의 경험에 의하면 그들이 내세우는 '섬김과 나눔'의 대상은 하나님이 아니었다. 교인들은 그들을 섬겨야 하며, 자신들은 돈과 기득권을 나눠 먹겠다는 선언에 불과했던 것이다.

단지 특정 종교방송사의 비리가 아니다.
그 회사를 통해, 나는 **기득권을 지키기 위해선 무엇이든
할 수 있다**고 믿는 보수의 실체를 만났다.

잘리면
아프다,
진보에
눈뜨다

;

두 번이나 쫓겨난 청년 보수 김용민은 비로소 세상을 다시 보기 시작했다.
그래, 내가 알아야 할 모든 것은 보수에게서 배웠다고 치자.

CTS 기독교 TV에서 잘리면서 드디어 김용민이라는
이름 앞에 붙어 있던 '보수'라는 두 글자는 눈 녹듯이
사라지고 말았다. 노동운동에 뜻을 둔 게 아니라 선배 직원들에
대한 예의와 의리를 지키기 위해서 노조에 가입했고, 그러다가 사무국
장으로 일하면서 노동계의 현실에 대해서 조금씩 눈을 뜨기 시작했다.
그러나 결국 구조조정이라는 구실로 다시 한 번 백수 신세가 되고 나니
참 막막했다. 게다가 결혼한 지 얼마 안 된, 한 가족의 '가장'이라는 꼬
리표를 달고 보니 문제는 더 심각했다.

극동방송에서 잘렸을 때와는 다르게 이번에는 정말로 갈 곳이 없었다.

속된 말로 나는 '그 바닥'에서 완전히 찍혀버린 것이다. 돌이켜보면 그렇게 영구히 찍힌 건 차라리 잘 된 일이었다. 이미 보수에 대한 환상은 깨져 버렸지만 그래도 어떻게 비비고 들어가서 먹고살 여지가 있었다면 혹시나 하는 미련이 약간 남았을지 모를 일이었다. 하지만 완전히 찍혀 버렸으니, 더 이상 보수 울타리 안에서 무엇을 기대하겠는가? 그들과 더 이상 무슨 교집합이 있겠는가? 그래, 너희들하고는 이걸로 끝이다. 안녕! 하고 미련 없이 손을 흔들 수 있었다. 낡고 추한 세력에게 영구히 찍혀서 사소한 미련을 가질 필요가 없게 된 것도 이제 와서 생각해 보면 크나큰 복이었다.

잘리면 아프다

졸지에 백수가 되고 나니 그 때의 현실은 너무나 아팠다. 아, 잘리면 아프구나, 이 사회에서 이런 식으로 잘리면 당장 갈 곳이 없구나, 라는 생각이 들었다. 첫 번째 잘렸을 때야 아직은 학생 티를 다 벗지 못해서 사회 경험이 부족한 때였으니 아픈 현실을 별로 느끼지 못했다. 하지만 이번에는 너무나 아프게 다가왔다.

나는 아직까지도 진보가 내세우는 가치가 무엇인지, 진보는 무엇을 위해서 싸우며 왜 심지어는 같은 진보끼리도 싸우는지를 누군가가 묻는다면 확실하게 대답할 자신은 없다. 한 때는 절친한 동지였던 진중권과 김규항이 지금은 왜 그렇게 서로 철천지원수처럼 싸우는지, 왜 그래야만 하는지, 지금도 정말로 이해가 잘 안 된다. 그들이 잘못해서 이해가 안 간다는 게 아니라, 아직까지 내가 그들의 첨예한 대립을 이해할 만큼의 수준이 안 된다고 하는 편이 맞을 것이다.

하지만 적어도, 정당한 이유 없이 회사에서 잘리면 아프다는 것과 이런 일이 일어나서는 안 된다는 사실을 내 머릿속에 깊숙하게 심어준 것만으로도 진보는 나에게 큰 가르침을 안겨주었다고 믿는다. 나는 진보의 가치와 원칙이 꼭 복잡하고 이해하기 어려운 언어 속에만 있을 거라고는 생각하지 않는다.

보수는 이런 현실을 모른다. 구조조정이나 정리해고라는 이름으로 이루어지는 칼바람이 그 피해를 당하는 한 사람 한 사람에게 얼마나 아픈 상처를 남기는지 이해하지 못한다. CTS에서 잘릴 당시는 IMF 시대였기에 구조조정이란 이름으로 회사에서 직원을 해고하는 일이 그다지 어려운 일도 아니었다. 임원 중에 누군가가 "회사 사정이 안 좋으면 사람 자르는 건 일도 아냐!"라고 큰소리를 쳤을 때에는 '아, 우리가 회사 안에서 과연 어떤 존재였는가?' 하는 막막한 생각이 들 수밖에 없었다.

진보에 눈 뜨다

두 번의 해고는 어린 시절부터 내가 그렇게 믿어왔던 보수의 가치가 실제로는 존재하지 않는 신기루에 불과하다는 사실을 확실히 깨닫게 해주었다. 보수(保守)라는 말을 풀어보면 '보전하고 지킨다'는 뜻이다. 그렇다면 이 땅의 보수는 대체 무엇을 보전하고 지킨단 말인가? 그들은 입만 열면 원칙과 도덕을 팔지만 행동은 반칙과 도둑질이었고, 종교방송의 관습대로 입으로는 하나님을 팔지만 사실 그들의 신은 '머니님'이었다. 부정과 비리로 온통 범벅이 된 그들이 보전하고 지키는 것은 오로지 자신들의 돈과 기득권뿐이었고 입에서 나오는 아름다운 말들은 그저 그들의 지저분한 본질을 속이고 무지몽매한 사람들을 꼬이기 위한 사탕발림에 불과했던 것이다.

어느 종교인이나 마찬가지겠지만, 하나님의 뜻을 전파하고 하나님의 사랑을 실천하는 목사야말로 그 누구보다도 가장 고결해야 할 사람들 아닌가. 그런데 이 나라의 교회를 대표하는 큰 교회의 여러 목사들, 그리고 하나님의 말씀을 온 누리에 전파하고 모범을 보여야 할 기독교계 방송들이 물질에 눈이 멀고 권력을 탐하는 존재로 전락했다.

그런 타락한 종교계 지도자들 주위에 대통령을 비롯해서 보수 진영의 잘 나가는 정치인들이 줄 서는 모습들도 여러 차례 목격했다. 내부에서 타락한 이들을 비판하는 사람도 없고, 비판의 목소리가 나올라치면 잘못을 뒤돌아보고 자성하기는커녕 입을 틀어막고 내쫓는 데에만 혈안이 되어 있었다. 돈과 기득권으로 똘똘 뭉친 그들에게는 더 이상 기대할 희망조차도 없다는 사실을 분명하게 깨달았다.

해고를 당한 그 즈음은 2002년 대선 정국이었다. 노무현 후보를 적극적으로 지지했다. 노 후보의 모든 정책을 깊이 이해하고 동조했다고 자신하기에는, 그 때의 나는 아직 설익은 상태였다. 그보다는 노 후보에게서 내가 보수에게 진짜로 바랐던 그 모습을 보았기 때문이라고 하는 편이 옳을 듯하다. 불이익을 받더라도 원칙과 소신을 지키려는 자세, 그리고 진정성이었다. 30년 가까운 세월을 소년 보수, 청년 보수로 살았을 때에는 그렇게 찾아봐도 안 보이던 모습이, 생각을 바꾸고 눈을 돌리니 얼마나 빨리 눈앞에 보이던지.

그래서 나는 노 후보가 대통령에 당선되었을 때 정말로 기뻤다. 그 때부터 나는 생각만이 아니라 행동까지도 예전과는 180도 반대의 내가 되어 버렸다. 그 정도라면 아버지는 뭐라 한마디 하실 법도 한데, 당신의 반응은 한결 같았다. "네가 충분히 느끼고 생각해서 그리 한 것 아니겠느냐." 그렇게 자식의 생각을 믿고 존중해 준 아버지가 계셨기 때문에 내가 보수의 추악한 본질을 깨달았을 때 그리 어렵지 않게 생각의 전환을 이룬 것은 아닐까, 생각해본다.

가끔 지방에 내려갈 일이 있어서 서울역을 찾을 때, KTX 여승무원들의 농성을 보고 있노라면 코끝이 찡해오곤 했다. 나 역시도 아픈 백수 생활을 감내해야 했기 때문이다. 2004년부터 지금까지 그 오랜 세월을 굴하지 않고 싸워온 저 승무원들은 그동안 속으로는 얼마나 아팠을까. 다행스럽게도 2심까지는 승소했으니 부디 마지막 대법원에서까지 반드시 이겨서 일터로 돌아갈 수 있게 되기를 진심으로 바란다.

**회상
Point**

2002년에 보았던 대선 후보 **노무현**의 모습은
어쩌면 내가 오래도록 찾아 헤맸던 **원칙과 소신의
주인공**이 아니었을까? 그가 그립다.

보수는
어떻게
만들어지는가

모태 보수,
기회주의 보수,
그리고
무지몽매 보수

;

보수는 하나가 아니다. 태생과 특성에 따라 세 부류로 나누어진다.
이걸 알면 많은 의문이 술술 풀린다.

보수라고 해서 모두가 같은 것은 아니다. 보수라는 깃발 아래 뭉쳐 있는 한나라당을 보아도 친이계와 친박계 사이에는 무척 큰 간극이 존재한다. 여기에 더하여 이른바 '소장파'도 있다. 보기에 따라서는 한 지붕 세 가족의 불안한 동거 생활이다. 그리고 당 바깥에는 지만원이나 조갑제 같은 극단으로 치우친 사람들도 있다. 보수가 다 같은 보수가 아니라면, 도대체 보수라는 큰 테두리 안에는 어떤 종류들이 있을까? 여러 가지 분류 방법이 있을 수 있겠지만 여기서는 어떻게 보수가 되었는지, 그리고 보수의 울타리 안에서 무엇을 원하고 바라는지를 기준으로 크게 세 유형으로 나눠서 설명해 보고자 한다.

모태 보수 (혹은 선천적 보수)

이들은 말 그대로 돈과 기득권을 갖춘 집안에서 아쉬울 게 없이 자라온 배경을 가진 사람들이다. 한나라당의 대권 주자로는 박근혜와 정몽준이 이 부류에 속한다고 볼 수 있다. 유승민 또는 이정현을 필두로 한 여러 친박계 의원들, 그리고 남경필, 홍정욱, 김세연과 같은 한나라당의 이른 바 '소장파' 의원들 역시도 탄탄한 성장 기반을 바탕으로 보수가 된, 모태 보수로 분류될 수 있다.

모태 보수는 전체 보수 진영에서 언제나 안정된 기반을 바탕으로 일 정한 세력을 형성해 왔다. 하지만 이러한 뿌리 깊은 전통과 비교하면 실제로 이들이 권력의 정점에 있었던 경우는 많이 찾아볼 수가 없고, 대체로 주도권을 다른 보수(다음 유형인 기회주의 보수)에게 빼앗기거나, 혹은 그냥 넘겨주기도 했다. 아직까지 모태 보수 출신의 대통령이 나 오지 않았다는 점이 이를 입증한다. 주식으로 말하면 주가폭락의 위 험은 적지만 그렇다고 대박을 칠 가능성도 높지 않은 대형주에 비유 할 수 있다.

기회주의 보수 (혹은 후천적 보수)

이들은 대체로 보수와는 다른 길, 혹은 아예 반대 편 길을 걷다가 어떤 계기에선가 급작스럽게 보수로 돌아선 사람들이다. 때로는 극과 극을 달리는 전향, 혹은 변절로 진보 진영의 비난은 물론이고 보수에게까지 그 진정성을 의심 받기도 한다.

재미있는 것은 주로 권력을 장악한 보수 중에 기회주의 보수가 많다는 사실이다. 만주군 장교를 지내고 한때 남로당에 몸담은 전력까지 있는 박정희를 필두로, 쿠데타로 정권을 잡은 전두환과 노태우, 호랑이를 잡으러 호랑이굴에 들어갔다가 호랑이에 빙의되어 버린 김영삼, 그리고 현 대통령인 이명박까지 모두 기회주의 보수들이다. 지금까지 보수 정권을 이끌어온 대통령은 모두가 후천적, 혹은 기회주의 보수로 분류되는 셈이다. 물론 민중당 출신의 이재오, 김문수 역시도 빼놓을 수 없는 인물들이다. 뉴라이트 계열의 주도권을 잡고 있는 신지호, 최홍재, 김영환을 비롯한 이들도 기회주의 보수, 또는 후천적 보수로 분류될 수 있다.

무지몽매 보수 (혹은 묻지마 보수)

흔히 '까스통 할배'라고들 지칭되는 부류의 사람들이 여기에 속한다. 그리고 서민이나 빈민층에 속하면서도 맹목적으로 아무 것도 묻지도 따지지도 않고 한나라당을 지지하는 사람들 역시도 여기에 속한다고 볼수 있다. 이들은 보수의 피라미드에서 가장 하위에 속하는 사람들이고, 언제나 보수에게 착취당하는 사람들이다.

보수라고는 하지만 그들이 놓여 있는 환경이나 기반은 보수의 기득권과는 거리가 멀다. 다른 부류에 비해서 지식과 정보가 대단히 부족한 이들은, 정치에 대해서도 사회에 대해서도 제대로 된 지식을 거의 갖추지 못한 사람들이다. 단순히 말해서 그냥 〈조선일보〉 보고 세뇌된 보수다. 이들의 생각이나 활동은 정치라기보다는 처세라고 보는 편이 더 나을 것이다. 이 사회를 좌지우지하고 자신들의 밥줄을 쥐고 있는 사람들은 자본가니까, 그 자본가들이 보수라면 나도 먹고살기 위해서 그들을 따라가는 게 진리다, 이런 단순한 논리에 갇혀 있다.

역으로 말한다면 충분한 설명과 설득 과정을 거치면 중도 또는 그보다 더 진보적인 위치로 옮겨갈 여지가 가장 많은 부류다. 보수라고는 하지만 실체도 없고 내용도 없는 집단이 바로 무지몽매 보수다.

물론 모든 사회 현상에는 예외가 있다. 보수 역시 반드시 이 세 부류 중 하나로 칼 같이 나눠지지는 않는다. 예를 들어서 정몽준과 같은 경우에는 그 배경은 모태 보수지만 2002년 대선 당시 노무현 후보와의 단일화 파기에서 볼 수 있는 바와 같이 기회주의 보수의 속성을 가지고 있다. 하지만 그 이후로는 권력에 집착하는 모습보다는 언제나 준비된 대권 주자로 거론되는 것에 만족하는 것처럼 보인다. (정몽준과 같은 부류에 대해서는 뒤에 가서 좀 더 자세하게 설명할 생각이다.)

개중에는 보수 분류의 장벽을 자유롭게 넘나들면서 크로스오버(?) 정신을 실천하는 인물들도 있다. 이인제가 그 대표적인 경우라고 할 수 있다. 야당의 주요 정치인으로 보수와 각을 세웠다가 경선에서 노무현에게 패배한 뒤, 참여정부 시기에는 보수로 돌변해서 박정희 이미지를 내세웠다. 그러다가 2007년에는 다시 그 당시 민주당 후보로 등장했다. 시사평론가인 나로서도 도저히 해석할 수 없는, 카멜레온 같은 변화 과정을 거친 자유로운 영혼(?)의 소유자다.

내가 이 책을 통해 보수를 해석하고 전망하는 과정에서 이 세 가지 분류는 중요한 핵심이 될 것이다. 이들의 성장 배경과 특징을 살펴보면, 그리고 이들이 어떤 식으로 뭉쳤다가 깨어지고 관계를 맺는가를 파악하면, 보수 진영에서 벌어지는 많은 일들을 쉽게 이해할 수 있다. 각 부류를 어떤 식으로 공략해야 할 것인가, 앞으로 보수는 어떤 길로 갈 것인가를 예측해 보는 데에도 많은 도움을 얻게 될 것이다.

모태 보수는 선천적 보수다. **기회주의** 보수는 후천적 보수다. **무지몽매** 보수는 묻지마 보수다. 보수의 행태와 전략을 이해하는 데 이 구분은 매우 중요한 단서가 된다.

여유롭지만
나약한
모태 보수

●
,

모태 신앙, 모태 솔로에 이어 모태 보수라니,
바야흐로 모태의 시절인가?
가벼운 비유 같지만, 이보다 적절한 명명은 없을 듯하다.

모태 보수, 혹은 선천적 보수는 과연 어떤 사람인가?
이들에게서 볼 수 있는 가장 큰 특징은 '여유'다. 이들
은 돈과 기득권을 쥐고 있는 환경에서 성장한 사람들이다. 탄탄하고 안
정된 기반을 가지고 있기 때문에 정치적으로 망신을 당하거나 위기가
닥쳐도 기반 없는 기회주의 보수들처럼 조급해 하지 않는다. 이들이 선
거에서 떨어진다고 해서 먹고살 걱정을 할 필요는 없지 않은가. 당장 정
치를 그만 둔다고 해도 이미 쌓여 있는 토대를 바탕으로 충분히 여유롭
게 살 수 있는 사람들이다.

이들은 자신들의 과거나 성장 과정을 숨기려고 하지 않는다. 17대 총선

을 앞두고 한나라당 소장파에서 물갈이론을 들고 나왔을 때, 정형근 의원은 남경필 의원을 '오렌지족'이라고 공격했다. 그러나 남경필 의원은 '빨간색, 파란색만 보던 정치적 색맹들이 빨갱이로 몰아붙이지 못하니까 붙여준 것'이라고 받아넘기면서 훗날 '나는 오렌지가 아니라 한라봉'이라는 여유를 부리기도 했다.

2007년 한나라당 대선 후보 경선에서 이명박에게 패배한 박근혜의 경우에서도 여유를 가지고 길게 볼 줄 아는 모태 보수의 특징을 엿볼 수 있다. 대권을 놓고 당 안에서 벌인 경선에 패배했을 경우, 이전의 많은 후보들은 경선 결과에 승복하지 못하고 다른 당으로 옮겨 가거나 신당을 창당하는 식으로 판을 깨고서라도 눈 앞의 야망을 쫓아가곤 했다. 그러나 박근혜는 실망스러운 결과였지만 크게 분노하지도 좌절하지도 않았다. 탈당 같은 오버액션을 하지도 않고 그대로 한나라당에 남아 다음을 기약했다. 여유가 있기 때문이다. 여유가 있기 때문에 기회주의 보수보다는 크고 길게 볼 줄 안다.

한국의 보수 중에서 그래도 억지로 희망이 있는 보수를 꼽아보라면 나는 주저 없이 모태 보수를 꼽을 것이다. 보수에게서 도덕을 기대하기란 참 힘든 일이지만 그래도 상대적으로 비교해 본다면 모태 보수는 다른 보수에 비해서 깨끗한 편에 속하고 도덕이나 염치를 아는 집단이다. 속된 말로 '쪽팔림'이 뭔지를 아는 사람들이란 얘기다(물론 어디까지나 기회주의 보수와 비교한 상대적인 얘기다).

모태 보수는 진보 진영과 소통할 수 있는 가능성이 높다. 자신의 생각에 자신감을 가지고 있으니 상대방의 말을 들어줄 여유가 있기 때문이다. 이들은 진보 진영의 정책이라고 하더라도 자신들에게도 쓸모 있는 것이라는 판단이 들면 수용하는 모습을 보이기도 한다. 박근혜 진영에서 구상한 복지정책에서 학교 무상급식에 대해서 지자체 상황에 맞게, 또는 단계적 수용이라는 태도를 보인 것이 그 좋은 예가 될 것이다. 야당에게 복지 이슈를 선점 당하고 나서 거의 알레르기 반응처럼 무상급식을 기를 쓰고 반대한 기회주의 보수와는 확실하게 구분되는, 소통의 가능성이 있는 마인드다. 이러다 보니 때로는 같은 보수 진영으로부터조차도 좌파 아니냐는 비난을 받는 일들이 벌어진다.

이러한 모태 보수가 가진 근본적인 약점은 '나약하다'는 것이다. 이들의 풍족한 성장 환경은 여유와 자신감이라는 장점을 주었지만 나약함이라는 단점도 함께 준 것이다. 이들은 굳이 정치에서 성공하지 못하더라도 잘 먹고 잘 사는 데 아쉬움이 없는 사람들이다. 따라서 권력과 승리에 대한 집착이 덜한 편이다. 잡초 같은 질긴 생명력이나 근성을 기대하기도 힘들다. 한마디로 온실 속의 화초다.

이런 문제점을 가장 잘 보여주는 예가 바로 한나라당 소장파다. 이들은 당 안에서 개혁적인 목소리를 내면서 종종 지도부와 마찰을 빚곤 한다. 하지만 결정적인 상황에서 '이쪽이냐, 저쪽이냐' 양자택일을 해야 할 상황이 닥치면 결국은 자신들의 소신보다는 대세에 편승하는, 줏대 없는 모습을 보이곤 한다. 미디어법 처리 과정에서도 소장파 의원들은 계속해서 강행처리에 반대했지만 결국은 마지막 순간에 강행처리를 위한 난투극에 가담하고 말았다. 그래서 '입으로만 개혁'이라는 달갑지 못한 평가를 받곤 한다.

그 원인은 이들의 속성이 기회주의적이기 때문이라기보다는 나약하기 때문이라고 보는 편이 옳다. 다시 말해서 권력에 대한 욕구, 상대를 어떻게든 밟아야겠다는 집착이 상대적으로 적다. 따라서 군이 자신들의 승리를 위해서 끝까지 소신을 밀고 나가지 못하는 경우가 많고, 마지막 결정적인 순간에는 끝까지 자신들의 욕망을 밀어 붙이는 기회주의적 보수에게 손을 들어버리는 것이다. 이런 면에서는 아예 처음부터 어느 정도 거리를 두고 말을 절제하는, 그래서 결정적인 순간에서조차도 선뜻 행동을 하지 않는 박근혜 식 전략이 한 수 위라고 볼 수 있다.

현재로서는 기회주의 보수 진영에서 박근혜에 맞설 만한 카드가 없다는 면에서, 박근혜가 한나라당 대통령 후보로 나올 확률은 거의 100%에 가깝다. 만약 2012년에 박근혜가 집권에 성공한다면 이는 한국 역사에서 처음으로 모태 보수가 정권을 잡는 것을 의미하게 된다. 하지만 박근혜가 대통령이 된다고 하더라도 모태 보수 세력들이 기회주의 보수를 완전히 몰아내고 행정부를 장악할 수 있을 것인지는, 이들의 나약함 때문에 장담할 수 없다. 나는 그러거나 말거나 궁금해 하고 싶지도 않지만.

모태 보수는 먹고사는 걱정이 없는 부류인 만큼 매사에 여유롭지만 **나약하다.** 2세 정치인들은 대부분 모태 보수라 할 수 있다.

끈질기지만
조급한
기회주의 보수

.

,

기회주의란 말이 기분 나쁘면 후천적이라는 말을 써도 문제는 없다.
아무리 그래 봐야 섹시한 보수로 보이지는 않는다.

기회주의 보수, 혹은 후천적 보수는 어떤 사람들인
가? 이들에게서 엿볼 수 있는 가장 큰 특징은 조급함
과 집착이다. 기회주의 보수는 변절의 과거를 가지고 있는 사람들
이다. 가지고 있던 신념이나 입장이 살아가면서 계속 일관되게 축적되
어 가고, 그 생각들이 살아가는 방향을 이끌어 가야 하는데, 그저 어느
순간엔가 "이 산이 아닌가벼"라는 우스갯소리처럼 급격하게 확 뒤틀려
버린 것이다.

그나마 이렇게 급변하게 된 과정이 자기가 걸어왔던 길에 대한 진지한
성찰이나 고민 끝에 나온 자기반성이라면 모르겠다. 하지만 기회주의

보수가 된 사람들의 이런 유턴의 동력을 보면 지극히 이기적이고 사리사욕에 충만한 결정이 대부분이다. 더 편하고 안전한 길, 손해를 덜 보는 길을 선택한 것에 불과하다.

변절의 과정조차도 떳떳하지 못하다 보니 어디 가서 자랑스럽게 얘기도 못한다. 왜 전향 혹은 변절했는가에 대한 설명은 단순하기 이를 데 없다. 이명박은 한일협정 반대시위로 옥고를 치렀던 학생운동 전력에 대해서 대충 변명하고 넘어가기에 바빴다. '난 그 때도 보수였다'는 식이다. 억지로 삶의 일관성을 짜 맞추려고 몸부림친다.

경기도지사 김문수의 경우에도 노동운동 투사로 수십 년을 살아오다가 갑작스럽게 보수의 투사로 변신한 과정에 대해서 보수 안에서조차도 논란이 많다. 그래서 정체성에 대한 논란이 벌어질 때마다 김문수의 태도는 그다지 떳떳하지 못하다. 기껏 한다는 변명이 '어느 순간 자신은 이 길이 아니었다는 것을 깨달았고, 보수의 길을 걸은 것이 정당했다'라는 식이다. 정말로 변신한 이유가 이게 다라면 수십 년 동안 갖은 고초를 겪어 오면서 살아왔던 그 시간들이 너무나 허망하지 않은가.

이렇듯 기회주의 보수들은 자기 스스로 전향 혹은 변절했던 과정에 대한 설명이 상당히 불충분하다. 김문수의 변절 과정은 사실 아주 단순하다. 1991년 김문수와 이재오가 주도했던 민중당은 총선에서 단 한 석도 건지지 못했다. 게다가 득표율 5%도 넘기지 못해 정당 등록이 자동으로 취소되는 비운을 맞이했다. 이런 경우에는 다시 정당 등록을 할 수도 있었지만, 이들은 선거 다음날, "이건 안 돼!" 하고 당을 깼다. 그리고 민자당으로 갔다.

김문수나 이재오나, 민중당을 만들었을 때까지는 가슴 속에 원칙과 원리를 지키고 일관되게 가야 한다는 관념이 있었을 것이다. 하지만 대중들로부터는 그에 상응하는 답이 들려오지 않았다. 이들은 대체로 강한 엄숙주의를 가지고 있다. 그로부터 오는 좌절감과 절망감이 자신을 뒤덮었을 때, 갑작스럽게 자포자기에 빠진다. 그리고 어느 길이 더 편하고 안전한가를 생각하게 된다. 이렇게 되면 급격하게 핸들을 꺾고 유턴을 한다. 그리고 보수의 차선을 타게 된다.

기회주의 보수는 진보적 노선을 걸었던 자신의 과거가 콤플렉스로 작용한다. 그리고 진정성에 대해서 끊임없이 의심을 받는다. 그렇기 때문에 어떻게든 과거를 털어내고 보수의 중심으로 하루빨리 올라가기 위해서 애를 쓴다. 이 특징이 바로 기회주의 보수의 주요한 장점이자 단점을 만들어낸다.

기회주의 보수의 장점은 보수 진영에서의 성공을 위한 강력한 집착과 권력욕에 있다. 윤리 도덕상으로 본다면 썩 좋지 않게 들릴지도 모르지만, 처음부터 보수로 성장해온 모태 보수대신 오히려 기회주의 보수가 주도권을 잡을 수 있었던 원동력이 바로 이러한 욕망, 혹은 헝그리 정신인 셈이다.

이 집착에는 과거에 대한 콤플렉스는 물론이고 복수심까지도 뒤섞여 있다. 자신이 노동자 민중을 위해서 그렇게 시간과 노력을 들였음에도 그에 대한 보람을 느낄 만한 반응을 끝내 얻지 못해 좌절하고 나면, 그래서 보수로 유턴하고 나면, '좋다. 나를 버린 너희들에게 내가 선택한 보수의 길이 옳았다는 것을 보란 듯이 입증해 주마!' 라는 복수심, 혹은 지금까지 허비한 삶에 대한 대가를 받고야 말겠다는 보상심리에 불타게 된다.

기회주의 보수는 이러한 집착을 바탕으로 수단 방법을 가리지 않고 주도권을 잡기 위해 전력을 기울인다. 그리고 온갖 권모술수를 동원해서 무식할 정도로 강력하게 밀어 붙이고, 자기의 목적을 관철시킨다. 따라서 권력욕이 상대적으로 부족한 모태 보수들은 결정적인 순간에 이들에게 밀릴 수밖에 없었던 것이다. 진정성이 없기 때문에 이를 성공이라는 간판으로 만회하려고 죽자 살자 덤벼드는데 이를 어떻게 이길 수 있을까?

과거에 대한 콤플렉스, 권력의 중심을 향한 집착과 권력욕은 거꾸로 기회주의 보수의 결정적인 단점으로 작용하기도 한다. 동전의 양면과도 같은 것이다. 이제는 거추장스러워진 과거를 빨리 털어내고 보수 진영의 주도권을 잡고자 하는 집착은 이들을 자꾸만 초조해 하고 여유가 없게 몰아가는 원인이 된다.

모태 보수도 기회주의 보수도 종종 같은 보수한테서 "너 좌파 아니냐? 야당의 2중대 아니냐?"는 식의 비난을 받을 때가 있다. 그런데 여기에 대한 두 부류의 반응은 사뭇 다르다. 모태 보수는 그냥 허허 웃거나 농담으로 받아 넘기고 만다. 자신은 뼛속까지 보수이기 때문에 그런 비난을 받는다고 해도 속으로 '놀고 있네' 하고 넘겨 버리면 그만이다. 그러나 기회주의 보수는 자신의 과거를 후벼내는 듯한 느낌을 받기 때문에 여유 있게 넘기지 못한다. 그래서 발끈해서 상대방에게 원색적인 비난을 퍼붓거나, 아니면 자신의 보수성을 입증 받기 위해서 말이나 행동에서 더욱 과격한 보수 성향을 나타내려고 애쓴다.

이명박 정권은 기회주의 보수의 조급한 단점이 가장 극명하게 드러난 본보기라고 할 수 있다. 4대강 사업을 놓고 보자. 대통령 임기 안에 어떻게든 끝내야 한다는 강박관념 때문에 강 주변의 자연환경을 망가뜨리든, 국제 학계에서까지 복원이 아닌 파괴라고 비난하든, 그저 최대한 빨리 완공하는 게 목적이 되어 버렸다. 방송 장악과 물대포로 상징되는 언론과 표현의 자유 탄압 역시도 반대의 목소리를 들어주는 여유를 갖지 못하는 기회주의 보수의 속성이 잘 드러나는 또 하나의 사례다.

기회주의 보수의 특징 한 가지만 더. 이들은 모태 보수에 비해서 훨씬 부도덕하다. 권력에 대한 집착을 가진, 욕망의 화신이기 때문에 무엇이든 쟁취하기 위해서라면 수단과 방법을 가리지 않으며 부도덕한 일조차도 마다하지 않는다. 이기면 모든 것이 정당화 된다고 생각한다. 어차피 진보에서 보수로 넘어오는 과정이 별로 떳떳하지 못했기 때문에 부도덕한 반칙 행위에 대해서도 크게 다르지 않다고, 목적을 위해서 불가피했다고 정당화 시킨다. 그래서 기회주의 보수가 주도권을 잡으면 혼탁해지고, 이들이 집권하면 나라가 부도덕의 늪에 빠져 버리게 된다. 지금 우리가 아주 잘 보고 있듯이.

섹시하지 못한 이유로 말을 갈아탄 기회주의 보수는 끝없이 갈망하고 조급해 하고 오버하게 된다. 권력을 잡아도 절대 여유 부리지 못한다.

그들은 왜
변절했을까?
정답은
'삐쳐서'

●
;
'

변절자에 대한 탐구는 연애심리를 배우는 것만큼 재밌다.
당사자는 인정하려 들지 않겠지만 분석하는 우리는 고개가 끄덕여진다.

꼭 정치인이 아니더라도 진보에서 보수로 넘어온 사람들의 공통점 가운데 하나는 그 전향의 과정이 썩 석연치 않다는 것이다. 보통은 이에 대한 답을 아예 피하거나 아주 간단하게 언급하고 넘어가려고 한다. 특히나 왕년에는 잘 나가던 운동권 또는 진보적 시민단체를 이끌며 주목 받던 리더였지만 언제부턴가 보수로 넘어와서 활동하는 이들, 예를 들어 장기표, 김진홍, 서경석 같은 경우는 더욱 그 과정이 모호하다. 이들 가운데에는 보수 진영 안에서도 자신의 정체성을 제대로 찾지 못한 채 방황하는 경우도 적지 않다. 그렇다면 그들은 왜 변절했을까? 100%까지는 아니더라도 대부분 경우에 해당되는 답이 여기에 있다. 간단하다. '삐쳐서.'

지역을 기반으로 오랜 야당 생활을 했던 한 정치인을 만나서 대화를 나눈 적이 있었다. 그는 완전히 보수 진영으로 넘어가지는 않았지만 민주당을 뛰쳐나가서 딴 살림을 차렸다. 그런데 왜 그랬는지를 물어봤을 때, 대뜸 나오는 얘기는 이랬다. "요즘 젊은 것들 정말 예의가 없어!"

자기들은 나름대로 진보 진영에서 지분이 있을 것으로 생각했다. 지금은 이렇게 고생하지만 언젠가는 그 보람을 찾을 날이 올 줄 알았다. 이렇게 노동자와 민중을 위해서 열심히 일했는데, 내 인생을 희생했는데, 언젠가는 그들이 알아주겠지, 언젠가는 우리가 그들의 폭넓은 지지를 받겠지, 그런데 아무리 시간이 가도 자신들이 쏟은 땀과 눈물에 대한 결과가 돌아오지 않는다.

이러한 실망이나 좌절감은 바깥에서만 오는 것은 아니다. 어느 샌가 머리에 피도 안 마른 것들이 슬금슬금 힘을 키우더니, 이제는 맞먹으려고 든다. 아니 이것 봐라? 이놈들은 예의도 없나? 웃어른을 몰라본다. 내가 잘못했다고 나를 대놓고 비판한다. 내가 진보 진영에서 활동한 지가 얼마나 오래됐는데, 내가 얼마나 오랜 역경을 겪고 이 자리를 지켰는데!

밖으로는 자신이 그렇게 헌신해 온 노동자 민중들에게 그만한 지지를 얻지 못하고 있다. 그래도 안으로는 그 동안 쌓아 온 탄탄한 지분이 있는 줄 알았는데, 새로운 세대들이 성장하고 도전하면서 그 토대조차도 흔들리는 것을 느끼기 시작하면 결국 그들은 삐치기 시작하는 것이다.

보수는 연공서열을 중시하는 편이다. 속으로는 자신의 소신과 맞지 않거나 틀렸다고 생각하는 사람이라도 자신보다 경륜이 많다면 숙이고 들어가는 편이다. 하지만 진보는 다르다. 마오쩌둥이 공자를 싫어하고 예의범절을 싫어했던 것처럼, 나이가 많고 경륜이 많다고 틀린 것을 맞다 하며 따라주지는 않는다. 그러니 나이나 경력을 내세워서 힘을 얻을 수 있을 거라는 기대는 안 하는 게 좋다.

그런 현실을 인정하지 못하는 사람들은 점점 진보 진영에 대해서 불만이 쌓이고 삐친다. 그러다가 어떤 계기가 작용하면 삐치고 삐쳤던 감정이 드디어 폭발해서 결국 급 유턴을 해 버리게 된다. 이성적으로 충분한 성찰을 하고, 자신의 생각을 차분히 되짚어 보고 결심한 것이라면 그들은 자신 있게 왜 생각을 바꾸었는지 당당하게 말할 수 있었을 것이다. 하지만 진보에서 보수로 말을 갈아탄 대부분의 기회주의 보수는 오히려 감정적인 이유가 더 크게 작동했다. 그러니 어디 가서 떳떳하게 말하기도 그렇다. 그래서 될 수 있으면 변절한 이유에 대해서 말을 안 하려고 한다. 그러다 보면 진정성을 의심 받기도 한다. 그래서 짤막한 변명으로 대충 덮고 넘어가려고 한다.

이런 식으로 삐쳐서 급 유턴을 해버리면 예전에 함께했던 동지에 대해서 열 받고 분노하고, 증오하게까지 된다. 자기들도 예전에는 좌경, 빨갱이 같은 소리를 듣고 심지어는 그 죄로 감옥살이까지 했는데, 이제는 자신들이 그 '예의 없는 젊은 놈들'한테 좌경 빨갱이라고 욕하게 된다.

오래된 것과 원숙한 것을 지지하는 것이 보수라면, 새로운 것과 젊은 것을 지지하는 것이 진보다. 따라서 진보에게 연공서열이나 정치적인 문제에서 나이든 사람에 대한 무조건적인 존경을 바라는 것은 지나친 욕심일 것이다. 오랜 기간 진보에 몸담고, 인생의 황혼기라고 할 수 있는 나이에도 여전히 진보 진영에서 원로 급으로 존경 받으면서 일관성을 지켜 나가는 인사들을 보면 특징이 있다. 우선 연공서열에 따른 기계적인 존경에 큰 마음을 쓰지 않는다. 이들은 언제나 젊은이들을 열린 마음으로 대하려고 하고, 새로운 생각과 변화를 받아들여서 젊게 살아가려고 노력한다. 그리고 더 중요한 것은, 이 분들은 유쾌하다. 이런 분들을 유심히 보면 인상 쓰는 모습보다는 웃는 표정을 더욱 자주 볼 수 있다.

너무 진지해지면 변절하기도 쉽다. 너무 진지하면 꾹꾹 참아야 할 게 너무 많기 때문에 스트레스가 너무 심하다. 너무 진지하면 마음을 열고 편안해질 수가 없고 자신도 보는 사람도 딱딱해지기 쉽다. 너무 진지하면 예의범절을 너무 따지게 된다. 너무 진지하면 결국 그 진지함을 주체하

기가 힘들어진다. 너무 진지하면 변화에 유연하게 대처할 수가 없다. 이
렇게 스트레스와 불만이 쌓이다 보면 어느 순간엔가, 확 삐치게 된다.

그러니, 진보를 하려면 유쾌해질 필요가 있다. 물론 진지해야 할 때에
는 진지하더라도, 그 진지함에 너무 빠져서 항상 굳은 표정과 엄한 목
소리만을 고집할 필요는 없다. 과거 군사정권에서 운동권은 합법의 공
간으로 나오기가 무척 힘들었고, 그렇기 때문에 때로는 목숨을 걸어야
했던 시절도 있었다. 그런 시절에는 어쩔 수 없이 극도로 진지할 수밖
에 없었을 것이다. 그러나, 이제는 진보 진영도 보수의 굳은 얼굴을 똑
같이 굳은 표정으로 대하는 게 아니라, 유쾌하게 비웃어 줄 여유가 생겼
다. 그것이 자신도 삐치지 않는 방법이고, 상대방을 더욱 강하게, 큼직
하게 엿을 먹이는 결과가 된다. 나는 진지한 표정으로 주먹을 날리는데
상대는 이리 쪽, 저리 쪽 피하면서 피식 피식 비웃는다고 생각해 보라.
그게 더 기분 나쁜 거다.

정치권에서는 **삐쳐서 잘 된 사람**이 없다.
본전 생각, 나이 대접은 이제 통하지 않는다.

이명박의
측근,
박근혜의
측근

.
,

보스를 보면 측근이 보인다. 측근을 보면 보스가 보인다.
어쩌면 그리도 다른, 모태 보수와 기회주의 보수의 주종 관계 비교.

현재 한국 정치에서 기회주의 보수의 정점이라 할 수 있는 이명박, 그리고 모태 보수의 대표 주자라고 할 수 있는 박근혜, 이 두 사람을 비교해 보면 보수의 양대 산맥이 어떤 차이를 가지고 있는지를 들여다 볼 수 있다. 그 동안 이 두 사람에 대한 분석은 다양한 방식으로 이루어져 왔는데, 여기서는 두 사람을 직접 공략하지는 않겠다. 대신에 이들의 측근들, 그리고 두 사람이 측근들을 어떻게 다루는지를 짚어 보는 방법을 택해서 살펴본다.

이명박 측근은 각하 복제인간들

이명박 정권이 들어서고 나서, 인수위 시절부터 정권의 막바지를 향해 달려가고 있는 지금까지, 무수한 인사파동이 이어졌다. 애초부터 강부자(강남의 부자), 고소영(고려대학교-소망교회-영남)이라는 오명을 뒤집어 썼지만 아랑곳하지 않고 위장전입, 부동산 투기, 탈세, 병역 기피, 청탁과 스폰서 등 각종 비리로 얼룩진 인사들을 거의 대부분 끝까지 밀어 붙여서 자리에 앉히고 말았다. 이러한 인사 스타일이 분명 '부도덕한 정권'이라는 나쁜 이미지를 만들고 사람들의 지지를 큰 폭으로 떨어뜨린 원인이 되었는데도, 왜 끝까지 그토록 막무가내 식 밀어 붙이기를 고집하는 것일까? 우리는 여기서 권력의 힘이 어떤 방식으로 쓰이는지를 생각해 볼 필요가 있다.

권력이 가진 힘은 대략 세 가지 방식(또는 수준)으로 사용된다. 가장 수가 낮은 방법이 직접적인 힘으로 억누르는 것이다. 다음으로 조금 더 강한 수준의 힘을 쓰는 유형은 남이 안 되게 하는 방법을 동원하는 것이다. 정치적으로 다른 생각을 가진 사람들의 밥줄을 끊거나 '먼지떨이'를 하거나 갖가지 방식으로 밀어낸 이명박 정권 초기의 수법이 여기에 해당된다고 볼 수 있다. 그리고 가장 고단수에 속하는 방법은 이와는 정반대로, 잘못을 알면서도 무조건 감싸주는 것이다. 검증과정에서 흠결이 발견되어 정상적인 기준이라면 상식적으로 써서는 안 되는 사람들, 심지어는 법의 심판을 받아 마땅한 사람들까지도 놀라운 호연지기로 감싸주고 보호해 준다. 게다가 큼직한 자리까지 하나씩 던져 준다. 자리 배분에는 능력 같은 건 고려되지 않는다. 능력이 필요 없기 때문이다.

각하의 측근이 되기 위해서는 그냥 각하 1, 각하 2, 각하 3……. 이거 한 가지 조건이면 그만이다. 이들은 각하의 주장이 옳은지 그른지에 대해서는 절대로 생각하지 않는다. 그들의 관점은 오로지 '이렇게 하면 각하가 좋아하실까? 각하가 오케이 하실까?'에 맞춰져 있다. 마치 복제인간처럼 똑같은 사고방식으로 무장하고 이곳저곳으로 퍼져나갈 뿐이다. 따라서 상식적으로 어이없는 말과 행동을 보이거나, 비리를 저지른 다음에도 부끄러움을 모른다. 왜? 감싸주는 주인님이 있으니까. 감싸주면 감싸줄수록 주인님을 더욱 더 믿고 더한 행동을 하고, 그럴수록 주인님에게는 더욱 충성을 다하게 되는 '충성의 악순환'이 이어진다. '너무 심한 얘기 아닌가?' 라는 생각이 든다면, 이명박의 측근 중에서 '각하와 설령 의견이 다를지라도 원리 원칙대로 해 보겠다' 라고 소신을 내세운 사람이 한 명이라도 있었는지 생각해 보기 바란다.

박근혜 측근은 자율 야구단

박근혜의 측근들을 보면 얘기가 좀 달라진다. 측근들 가운데 가장 많이 거론되는 유승민이나 이정현 같은 경우에는 무조건 맹종과는 거리가 있어 보인다. 예를 들어, 유 의원은 서울시 무상급식 주민투표에 대해서 한나라당 안에서 논란이 벌어지고 있을 때 '주민투표에서 지면 한나라당이 망한다'는 나경원의 말을 정면으로 받아치면서 당이 이 문제에 대해서 손을 뗄 것을 주장했다. 그가 한나라당 시도당 단합대회 뒤에 기자들과 만난 자리에서 건배사로 '무상급식을 위하여'라고 외친 것은 유명한 일화다. 이는 단계적 무상급식을 주장한 박근혜보다 한발 더 나간 것이다.

박근혜가 "(주민투표가) 오세훈 시장이 시장 직을 걸 일은 아니었다" 라고 말해서 '뒷북 정치' 논란이 나왔을 때 유승민은 "나는 그것은 잘못됐다고 생각한다……. (오 전 시장이) 시장 직을 버렸을 때 바로 이야기하면 좋았을 것"이라고 쓴 소리를 하기도 했다.

이정현도 여당 의원으로서는 독특한 경우에 속하는데, 호남 출신으로서 1995년부터 계속해서 호남 지역 총선에 도전했다가 낙선했다. 그러다가 18대에 들어서야 비례대표로 늦깎이 의회 입성을 했다. 한나라당의 호남 지분을 챙겨 그냥 비례대표로 계속 갈 법도 한데, 2012년 총선에서는 다시 광주에서 출마하겠다고 일찌감치 선언했다. 5.18을 비롯해서 군사정권 시대의 가장 큰 지역적 피해자라고 할 수 있는 광주에서 왜 한나라당으로 출마하느냐는 비판을 받을 수도 있겠지만, 아무튼 뚝심 하나 만큼은 인정해 줘야 할 대목이다.

마치 아바타처럼 영혼 없는 이명박의 측근들과는 달리, 박근혜의 측근들에게는 어느 정도 소신이 엿보인다. 그렇기 때문에 만약 박근혜가 집권하는 경우를 가정해 본다면 아마도 측근들의 모습은 이명박 정권과는 많이 다를 것이다. 적어도 영화 〈매트릭스〉 시리즈에 나오는 복제된 요원들처럼 온갖 요직이 온통 각하로 가득 차 버리는, 그런 최악은 아닐 것이다. 이것은 단지 측근들의 개인적인 캐릭터 때문만은 아니다. 근본적으로 모태 보수들이 가진 여유가 이런 차이를 만들어 내는 것이다.

그렇다면 박근혜 측근 진영에도 약점도 있을까? 있다. 무엇보다도 박근혜는 측근들에게 전폭적인 힘을 실어주지는 않는 스타일이다. 오랫동안 친박계의 '좌장'으로 손꼽혔던 김무성의 경우를 보면 잘 알 수 있다. 김 의원은 18대 총선에서 한나라당을 뛰쳐나가서 친박무소속연대로 당선된 뒤에 다시 한나라당에 입성할 정도로 충성심 하나 만큼은 대단했다. 하지만 세종시 문제를 놓고 김무성이 박근혜와 다른 태도를 보였을 때, 박근혜는 "친박계에는 좌장이 없다"는 한마디 말로 내려쳐 버렸고, 격분한 김무성은 친이계로 말을 갈아타 버렸다. 곧, 측근들이 소신을 내 보일 여지를 어느 정도 주긴 하지만 그런 소신에 큰 힘을 실어주지는 않는다. 누구든 자칫 김무성처럼 하루아침에 버림 받을 가능성도 있다.

젊은 시절부터 퍼스트레이디 역할을 해 오면서 일찌감치 정치 세계에 눈을 뜬 박근혜로서는 정치인들에 대한 불신에 더해서 아버지가 최측 근에게 암살당했다는 트라우마를 안을 수밖에 없다. 이는 박근혜로 하여금 아무리 최측근이라 하더라도 일정 정도 이상의 권력을 쥐어주지는 않게 만들 것이다. 차기 대선에서 가장 유리한 자리를 이미 몇 년 전 부터 차지해 왔으면서도 상대적으로 친박계의 세력 확대가 느린 이유 와, 이명박이 점점 힘을 잃어가고 상대적으로 박근혜에게 무게가 실리 는 상황을 느끼면서도 친이계에서 친박계로 넘어가는 분위기가 잘 느 껴지지 않는 이유는 여기에 있다.

이 정도면 두 종류의 보수가 어떤 차이점이 있는지 충분히 이해할 수 있 을 것이다. 기회주의 보수는 떳떳하지 못한 구린 부분을 감싸주는 대가 로 소신 따위는 필요 없는 맹목적인 충성을 요구하는 상하 관계를 형성 한다. 그래서 그들은 서로의 이익을 교환하는 결과로 끈끈한(하지만 깨끗 하지 못한) 결속력을 구축하게 된다. 반면에 모태 보수는 어느 정도 서로의 소신과 원칙을 인정하는 관계를 유지한다. 하지만 서로를 믿지 못하기 때문에 전폭적으로 힘을 실어주지는 못하면서 불안정한 관계를 이어 나간다는 차이점이 있다.

기회주의 보수라고 해서 이 세상 끝까지 의리를 지킨다는 법은 절대로 없다. 감싸주는 권력의 힘이 제일 무서운 이유는 양면성을 지니고 있기 때문이다. 한편으로는 '내가 이렇게 너를 구해 줬으니 고마운 줄 알고 충성하라'는 뜻도 있지만 다른 한편으로는 '수틀리면 네 흠집을 트집 잡아서 언제든지 내다 버릴 수 있으니 까불지 마라'는 협박도 사은품으로 함께 따라오는 것이다.

이명박 정권 초기 대운하 전도사였던 홍보기획비서관 추부길이 어떻게 됐는지 떠올려 보라. 대운하가 수포로 돌아가자마자 그의 몰락은 시작되었다. 이재오 역시도 대운하의 쌍두마차였지만, 추부길은 정치인으로서는 아무런 이용가치도 없는 존재였다. 게다가 촛불집회 참가자들을 "사탄의 무리"라고 하는 등의 잇따른 망언으로 구설수에 올라 각하에게 부담만 안겨준 거추장스러운 존재가 되고 말았다. 결국 그는 박연차 게이트 때 '까불면 어떻게 되는지 봐라' 식의 시범 케이스가 되어, '목사님'답게 여권의 십자가를 홀로 짊어지고 거룩한 쇠고랑을 찼다. 이 일은 그 전까지 충성심에서 약간 미지근한 태도를 보이고 있던 사람들에게 확실한 메시지를 던져 준 사건이 되었다.

혹시라도 기회주의 보수의 측근으로서 부귀영화를 누리고 싶다면 이 점
은 꼭 기억하라. 보스에게 자주 자신의 이용가치를 증명해 줘야 한다. 그
이용가치는 학벌과 경력과 같이 보기 좋은 간판일 수도 있고, 보스에게
폐를 끼치지 않으면서 그분의 뜻을 충실하게 이행하는, 더 나아가 보스
보다 한술 더 뜨는, 충성스러운 집사 정신일 수도 있다. 이런 이용가치
를 입증하지 못한다면 언제든지 폐기처분 당할 수 있다.

이명박 : 내 맘대로 할 거야, **까불면 죽는다.**
박근혜 : 알아서 해도 돼, 책임은 못 진다.

보수위의 보수, 자본가 보수 ;

보수는 철저한 피라미드 관계다.
그 가장 꼭대기에 있는 보수는 영구집권을 꿈꾸는 자본가 보수다.

앞에서 세 종류의 보수를 이야기했는데, 한 가지를 빼먹었다. 사실 이렇게 한 종류의 보수를 따로 떼어 놓은 이유는 세 종류의 보수 모두의 배경에 있기도 하면서, 심지어는 보수를 넘어서 진보 진영에까지 어느 정도 장악력을 가진 존재이기 때문이다. 보수의 대마왕과도 같은 존재, 그것은 바로 '자본가 보수'다.

이들은 언제나, 모든 권력 위에 존재했다. 보수 집권 시기는 물론이고 김대중 노무현 정부에서조차도 이들의 지위는 별로 흔들리지 않았다. 이들은 언제나 경제 규제를 철폐해야 한다고 주장한다. 복지는 사람들이 일을 안 하게 만들고, 게으르게 만들며, 돈만 나가는 사치로 여긴다.

자본가 보수는 엄청난 돈과 기득권을 가지고 있다. 따라서 이를 이용해서 사람들을 자신의 편으로 끌어들이고 조종한다. 이러한 자본가 보수에게 예쁨 받기 위해서 가장 몸이 달아 있는 부류는 당연히 기회주의 보수다. 대한민국 역사 속의 보수 정부는 자본가 보수를 배경으로 한 기회주의 보수의 합작품이라고 봐도 좋을 것이다.

이런 탄생 과정을 거친 보수 정부가 자본가에게 어떤 태도를 보일지는 안 봐도 뻔하다. 자신들의 돈과 기득권을 동원해서 콤플렉스 많은 기회주의 보수에 힘을 실어주고 권력을 잡게 도와줬으니, 이제는 투자한 만큼 본전을 뽑아야 하는 것이다. 가장 손쉬운 게 금융이다. 보수 정부 하에서 은행들은 자본가들이 달라는 대로 돈을 내어주는 수밖에 없다.

많은 사람들은 보수 정부가 우리 경제를 발전시키고 우리를 잘 먹고 잘 살게 했다고 생각한다. 박정희 신화 역시도 이러한 믿음에 바탕을 두고 있다. 하지만 이렇게 구축된 보수 정부는 오히려 우리 경제를 사단 내는 원흉이 되기도 했다. 김영삼 정권의 종착역이었던 IMF 금융 위기는 바로 기회주의 보수와 결탁한 자본가들의 탐욕이 빚어낸 결과였다. 김대중 정부는 그 뒤치다꺼리 때문에 자신이 원했던 경제 정책을 제대로 실현해 볼 기회조차 가질 수 없었고, 노무현 정부는 IMF 위기 탈출과 경기부양을 위한 긴급 처방이 낳은 부작용, 곧 카드대란으로 대표되는 가계 부채 폭탄에 시달려야 했다.

2007년 대선이 되었을 때, IMF 이후 10년에 지친 사람들은 진보 진영에게서 등을 돌렸다. 그리고 이명박은 김영삼과 다를 것이라고 생각했다. 그저 정치인이었던 김영삼과는 달리 현대건설 CEO 출신 이명박은 그래도 경제 문제에서는 훨씬 나을 거라고 생각했다. 하지만 사람들은 기회주의 보수와 자본가 보수가 결탁한, 보수 정부의 본질은 그대로라는 사실을 깨닫지 못했다. 자본가의 편에 더 충실하게 붙어서 그들의 탐욕을 위해 더 열심히 봉사할 이명박이 김영삼보다 오히려 더 위험할 수 있다는 사실을 알 리가 없었던 것이다.

결국은 이명박 정권 들어서 금융위기가 몰아닥치고 그 여파는 서민들이 그대로 떠안아야 했다. 대기업들은 고환율 정책 덕분에 수출로 이익을 봤지만 서민들의 삶이 얼마나 고통의 연속이었는지는 더 말할 필요도 없을 것이다. 보수 정부의 경제성장 논리는 '고용 없는 성장'이라는 말이 상징하듯이 서민들에게는 아무 도움이 되지 않았다. 그리고 정권 말기에 접어든 지금은 물가 폭등과 가계 부채 폭탄이 또다시 서민들을 쥐어짜고 있다. 보수 정권의 보이지 않는 결합 구조, 거기서 비롯되는 결과가 무엇인지 제대로 파악하지 못하고 대통령 이미지에만 정신이 팔려 있으면 당하고 또 당하는 수밖에 없다.

모태 보수는 그나마 경제 정의에 대해서 의미 있고 진전된 안을 내놓을 가능성이 있다. 복지 정책에 대해서 기회주의 보수와 모태 보수가 보이는 시각 차이가 이를 잘 말해 주고 있다. 모태 보수 중에는 자본가 집안에서 성장한 사람들이 많다. 하지만 오히려 이런 사람들 중에서 자신의 좋은 성장 배경에 대한 책임의식을 느끼는 이들이 적지 않다. 그래서 그들은 정치판에서 자본가들과 의도적으로 거리를 유지한다.

물론 모태 보수가 자본가와 대결할 리는 없다. 그러나 자본가와 친하다는 것을 드러내려고 하지는 않는다. 기회주의 보수는 아주 노골적으로 자본가 보수에게 붙으려고 한다. 삼성특검이 조사를 진행하고 이건희가 소환되었을 때, 김문수는 한 대학 특강에서 "우리나라는 이건희 회장을 불러 조사하는 등 부자를 달달 볶아서 다 내쫓는 나라"라고 말했다. 그리고 "얼마 전 마카오에 가니 한국인들이 도박하러 가장 많이 와 있었다. 국내에서 허가를 내주지 않으니 국내 돈이 밖으로 나가는 것이다"라고도 했다. 모태 보수에게서 이렇게 노골적인 발언을 듣기는 힘들다.

모태 보수는 정치를 그만둔다고 해도 이미 가지고 있는 것이 많기 때문에 갈 곳이 있다. 하지만 기회주의 보수는 갈 곳이 없다. 다시 진보로 돌아가? 그러면 누가 받아 주기나 하나? 그래서 그들은 배수의 진을 친다. 자본가 보수를 꽉 붙잡고 놓치지 않는 게 자신들이 유일하게 살 길이다. 노동운동의 대부였던 사람들이 얼굴빛 하나 안 바뀌고 부자들을 편들어 주기도 한다. 그것도 손발이 오그라들 정도로 민망하고 노골적으로 말이다.

자본가 보수가 무서운 점은, 그 장악력이 비단 보수 진영에만 그치지 않는다는 것에 있다. 이들은 진보 진영마저도 표적으로 삼는다. 김대중 노무현 정부도 자본가 보수의 손아귀를 피해 가지는 못했다. 자신들이 국민들을 먹여 살리고 있다는 주장을 내세우면서 반기업 정서 때문에 기업을 못해먹겠다고 아우성친다. 수틀리면 외국으로 생산 시설을 이전해 버리겠다고 협박한다. 게다가 정부로서는 경제 성장률, 주가 지수와 같이 눈에 보이는 숫자에 민감할 수밖에 없기 때문에 가장 영향력이 큰 대기업의 눈치를 보게 된다.

이렇게 정부를 흔들어 놓고서는 진보 정권에도 부패의 암세포를 퍼뜨리기 위해서 돈으로 파상공세를 펼친다. 이미 관료 사회와 법조계에는 '삼성 장학생'이라는 말이 나돌 만큼 암세포가 이곳저곳에 심어져 있다. 그러한 장치 때문에 자본가들은 결국 그리 어렵지 않게 진보 정권마저도 쥐락펴락 할 수 있게 된다. 오랫동안 배고픈 생활을 참아내다가 정부에 입성해서 권력을 갖게 된 인사들 가운데 상당수가 자본가들이 펼치는 돈의 공세에 넘어가고 말았다. 진보 진영이라고 하더라도 결국 자본가의 손아귀에 놀아나는 한, 자신들이 원했던 정책을 펴는 것은 불가능하고 오히려 재벌의 논리에 질질 끌려 다니게 된다. 서민들은 이러한 모습에 실망할 수밖에 없고 '결국은 그 놈이 그 놈'이라는 혐오증 속에 정권은 다시 보수에게 넘어가게 된 것이었다.

진보는 여기서 분명한 교훈을 얻어야 한다. 다시 진보 진영이 정권을 잡는다고 해도 자본가 보수 세력은 경제 논리를 앞세우고 도처에 퍼져 있는 부패의 핏줄, 막대한 돈줄을 무기로 파상공세를 펼칠 것이다. 과연 어떻게 이 공격을 막아내고 자본가 보수의 논리에 넘어가지 않는, 진정한 진보 정책을 펼쳐 실현시키는 정부를 만들고 유지할 것인가? 이 점을 미리 준비하지 않는다면 김대중 노무현 정부의 뼈아픈 실책은 되풀이 되고 말 것이다.

분석
Point

모든 보수의 배경인 자본가 보수는 진보에까지도 강력한 영향력을 떨친다. 대한민국의 보수 정권은 **자본가 보수와 기회주의 보수의 합작품**이었다.

같은 듯 다른 듯, 모태 보수와 자본가 보수

;

정치인이 아닌 자본가 보수는 설명할 필요도 없지만,
자본가 보수 정치인의 경우에는 그 행태가 가히 하이브리드 수준이다.

모태 보수, 곧 선천적 보수와 자본가 보수는 어느 정도 공통점이 있고, 그래서 겹치기도 한다. 양쪽 다 풍족한 물질적 기반을 바탕으로 성장해 왔기 때문이다. 여기에 해당되는 가장 좋은 예는 정몽준이다. 정주영 회장의 아들로서 부유하게 성장했으며, 지금도 현대중공업의 대주주로서 회사에 강력한 영향력을 행사하고 있다.

정몽준은 모태 보수의 특징을 상당 부분 가지고 있다. 그에게는 기회주의 보수가 가지고 있는 집착에 가까운 권력욕이 그다지 보이지 않는다. 정말로 그가 강한 권력욕을 가지고 있다면 대선을 1년여 앞둔 시점에서는 선두를 달리고 있는 박근혜의 라이벌이 되기 위해서 적극 활동에 나섰어야 한다. 물론 책도 내고 행사도 하고 여러 가지 하고 있는 것은 안다. 하지만 그 정도론 판세를 흔들지 못하지 않는가? 정몽준은 그저 영원한 대권 후보 정도의 지위에 만족하는 듯이 보인다.

자본가 보수는 모태 보수처럼 자신감이 있기 때문에 기회주의 보수보다는 좀 더 오픈된 마인드를 가지고 있다. 1992년 대통령 선거 당시 정주영 후보가 "공산당 결성을 막을 필요가 없다"는 발언을 한 배경에도 이런 자신감이 깔려 있었다. 정몽준도 2010년 12월에 방송 인터뷰에서 "북핵 문제를 비롯해 모든 문제에서 강경 일변도는 좋지 않다"라고 말한 것과 같이 여러 차례 남북관계에 대해서 유연한 모습을 보여 왔다. 자본가 보수의 관점에서는 북한은 아직 개발되지 않은 시장일 뿐이다. 값싼 노동력이나 지하자원, 관광 산업도 매력이 있다. 따라서 남북관계에 대해서, 특히 경제 협력에 대해서는 기회주의 보수 또는 무지몽매 보수, 심지어는 모태 보수보다도 더 유연한 목소리를 내기도 한다.

이런 공통점들로 본다면 모태 보수와 자본가 보수는 거의 같아 보이지만 그래도 근본적인 차이가 있다. 바로 탐욕, 그리고 안하무인이다. 모태 보수도 돈과 기득권에 대한 욕망이 있지만, 그래도 눈치는 보는 편이다. 하지만 자본가 보수는 특히 돈에 대한 탐욕 앞에서는 눈치를 보지 않는다. 자본가 보수들은 권력의 정점까지 도달하고야 말겠다는 집착은 약한 편이지만, 자신이 가지고 있는 권력 안에서는 마치 제왕이나 다를 게 없는 모습을 보인다. 그래서 예의가 없고 안하무인이다.

이런 속성을 잘 보여주는 정치인 역시 정몽준이다. 그의 안하무인 행태는 여러 차례 구설수에 오른 바가 있다. 그는 2011년 국정감사에서 같은 서울대학교 경제학과 선배인 김성환 외교부장관에게 "그게 상식에 맞는 얘기야?", "그게 무슨 궤변이야.", "초등학생이라도 이건 상식이 안 맞는 짓 아니겠어?"와 같은 식으로 반말을 해댔다. 비난이 일자 정몽준은 뒤늦게 "평소 장관하고 격의 없이 지내다 보니 표현이 지나쳤다."면서 사과를 했다. 하지만 남들 다 보는 공식석상에서 반말을 하는 게 이번이 처음은 아니었다. 2006년 국정감사에서도 정몽준은 국회 상임위원회의 수석전문위원에게 "내가 지금 너한테 물어봤나?"라고 반말을 한 적이 있다. 2008년 총선 때는 뉴타운에 관한 질문을 하는 여기자의 뺨을 툭툭 친 일도 있다.

이러한 자본가 보수 정치인들의 무례함, 혹은 무식함은 우리나라 자본주의, 특히 재벌의 무례함이 그대로 드러난 모습이라고 볼 수 있다. 우리나라의 기업 문화에서 회장님은 그야말로 '왕'으로 통한다. 이들에게 부하 직원에 대한 예의를 기대하는 것은 천만의 말씀이다. 반말 정도는 일도 아니다. 적지 않은 한국의 회장님들 마음속에는 '내가 너희들을 먹여 살리고 있는데 너희들이 어쩔 건데?'라는 사고방식이 깊이 깔려 있다.

한국의 재벌들은 경제적으로는 이제 선진국과 어깨를 나란히 할 만큼 발전을 이루었지만 노조를 인정하지 않는 삼성그룹이나 족벌 경영 체제를 그대로 고수하면서 편법 증여와 탈세 행각을 벌이는 여러 재벌들의 모습들처럼 문화에서는 후진성을 벗어나지 못한다는 지적이 여전하다. 집에서 새는 바가지 바깥에서도 샌다는 말처럼, 자본가 보수가 정치에 뛰어들었을 때에도 이러한 문화적 후진성은 고스란히 드러나곤 한다.

경영학자인 워렌 베니스는 "경영자는 일을 올바르게 하지만, 지도자는 올바른 일을 알아낸다." 라고 말했다. 이는 모태 보수와 자본가 보수의 차이를 지적하는 데에도 딱 맞는 말이다. 지도자 의식이 있는 정치가는 일을 하기 전에 먼저 이 일이 올바른지 그릇된 것인지를 생각하고, 올바른 일을 선택한다. 곧, 최소한의 도덕의식은 있다는 뜻이다. 하지만 경영자 마인드만 있는 정치가는 이익이 먼저다. 설령, 그릇된 일이나 도덕적으로 지탄 받을 일이라고 해도 이익이 된다면 거리낌 없이 착수한다. 그리고 이익을 달성하기 위한 차원에서 가장 올바른 방법, 곧 가장 효율적인 권모술수를 선택한다. 이렇게 생각의 차이가 있다 보니, 자본가 보수는 종종 기회주의 보수와 비슷한 모습을 보이기도 한다. 정몽준의 정치 행보는 그 대표적인 예다. 이득만 되면 개혁적인 척하면서 노무현과 단일화를 시도하기도 했고, "오세훈 시장이 뉴타운 추가 지정에 흔쾌히 동의했다"는 거짓말을 했다가 결국 허위사실 발표로 유죄판결을 받기도 했다.

2007년 대선에서 진보 진영의 새 얼굴로 주목을 받았던 문국현도 자본가 보수의 속성에서 벗어나지 못했다. 유한킴벌리 CEO 출신이었던 문국현은 윤리적인 기업 경영을 바탕으로 이명박에 맞설 강력한 대권 후보로 대두되었다. 하지만 정동영과 단일화에 실패하고, 대선 이후에는 선거자금 회계 정리 문제 등을 둘러싼 갈등 끝에 주요 참모들이 "공당으로서의 문제해결 능력은 물론 최소한 지켜야 할 인간에 대한 예의조차 없다"라는 성명과 함께 결별을 선언하기까지 했다. 이렇게 사면초가에 몰린 문국현이 선택한 방법은 놀랍게도, 자유선진당과의 정책연합이었다. '소수당의 한계를 극복하고 교섭단체를 구성하기 위해서'라고 이유를 댔지만 이 일로 문국현은 정체성 자체까지 의심 받는 처지에 놓이게 되었다.

CEO 출신 정치인 중에서는 가장 양심적으로 손꼽혔던 문국현조차도 뜻을 함께했던 참모들에게 '인간에 대한 예의가 없다'는 말을 들을 정도였고, 계산에 따라서 이회창과도 손을 잡을 정도인데, 오리지널 자본가 보수들은 더 말해 무엇하겠는가? 결국 자본가 보수는 겉보기에는 모태 보수 같아 보이지만 그 근본은 무척 다르다. 똑같이 돈과 기득권을 지키는 것이 최고의 목표긴 하지만 그래도 원칙이나 도덕에 대해서 먼저 생각하고 계산을 하는 모태 보수와는 달리 자본가 보수는 계산이 먼저다. 계산 결과가 플러스로 나온다면 원칙이나 도덕은 거추장스러운 걸림돌에 불과하다.

분석
Point

정몽준, 문국현 등에게서 자본가 보수 정치인의 행보가 보인다. 모태 보수처럼 여유로워 보이긴 하지만, 자본가 보수에게는 정치에서도 **비즈니스**와 **이익**이 최우선이다.

성골이
되고 싶은
진골들

;

대부분의 기회주의 보수는 모태 보수와 같이 놀고 싶어 한다.
딱 한 사람만 빼고. 그 사람은 아예 재벌 수준의 자본가 보수를 꿈꾼다.

모태 보수를 성골이라 한다면 기회주의 보수는 진골
이라고 할 수 있다. 진골들은 자기들의 출신 배경에
대한 콤플렉스가 있다. 그래서 성골들에게 인정받고 싶어 하고,
하루빨리 성골로 탈바꿈하고 싶어 한다. 어제는 자신이 빨갱이 소리를
들었으면서도 오늘은 어제의 동료들을 빨갱이로 비난하는 기회주의 보
수의 심리 속에는 이러한 욕망이 불타고 있다.

기회주의 보수의 선두주자 격인 오세훈, 김문수, 이재오는 성골이 되고
자 하는 강렬한 욕망의 화신이라고 할 수 있다. 이들은 보수 안에서도
반공 이데올로기에 바탕을 둔 과격한 발언을 자주 쏟아냄으로써 신문

정치면에 많은 기사거리를 제공해 주고 있다. 그 중에서도 오세훈은 이러한 욕망이 지나친 나머지, 자신을 희생양으로 던져서 성골 보수에게도 지지를 얻고자 무상급식 주민투표에 자신의 시장 자리를 건 대형 사고를 저질렀다.

진골들이 아무리 성골에게 속된 말로 '알랑방귀'를 뀐들, 성골 보수, 즉 모태 보수가 이들을 받아들일 이유는 없다. 무지몽매 보수들이야 진골들의 과격한 발언과 선동에 환호성을 올리고 '까스통'을 들고 뛰쳐나갈 수 있다. 그러나 성골들은 이들의 기회주의적 속성을 너무나 잘 알고 있기 때문에 상황이 변하면 언제든 배신할 수 있는 사람들이라고 여긴다. 그래서 **기회주의 보수가 모태 보수의 최측근이 될 가망성은 거의 없다**고 보는 편이 좋다. 또한 모태 보수들은 기회주의 보수들이 쏟아내는 과격한 발언을 별로 좋아하지도 않는다.

이명박의 경우는 조금 다른데, 그 역시도 과거에 대한 콤플렉스를 가지고 있다. 하지만 그는 모태 보수가 되기보다는 자본가 보수가 되고 싶어 한다. 오히려 모태 보수 쪽에는 별로 관심이 없다. 그의 발언에서는 김문수나 이재오와 같은 과격성을 찾아보기 어렵다. 그 대신에 실용이란 이름으로 자본가 보수를 향한 욕망을 그럴싸하게 포장한다. 권력의 정점인 대통령이 되고 나서도 이러한 욕망은 별로 사그라지지 않았다. 항상 돈 계산을 하고 무엇인가 이익을 보려고 끊임없이 시도한다.

내곡동 사저 논란은 그 좋은 증거다. 퇴임 후 살게 될 사저까지 철저하게 재테크 정신으로 무장하고 자신은 물론 가족들의 이익을 챙기기 위해서 꼼꼼한 수법을 활용한 것으로 추정된다. 불행히도(?) 이 꼼수가 들켜버리는 바람에 내곡동 사저를 포기하는 것으로 일을 덮으려고 했지만, 이번에는 원래 사저인 논현동 자택까지도 공시지가(세금을 매기는 기준이 됨)가 2011년에 갑작스럽게 절반으로 뚝 떨어진데다가 일부는 상가로 용도 변경이 된 사실까지 드러났다. 자본가 보수를 갈망하는 이명박의 섬세한 재테크 정신은 소유 부동산 하나하나에 꼼꼼하게 맺혀있다고 하겠다.

정책의 우선순위 역시도 자본가 보수의 이익에 철저하게 맞춰져 있다. 제2롯데월드를 승인하는 과정에서 공군기지인 서울공항에서 이륙하는 공군기들에게 100층이 넘는 제2롯데월드가 장애물이 될 것이라는 비판이 일자 서울공항의 활주로 각도를 3도 틀어주는 특혜를 준 것에서 알 수 있듯이(그러나 이것만으로는 공군기의 안전을 장담할 수 없다는 비판도 있다.) 자본가의 이익을 위해서라면 심지어는 보수들이 입만 열면 외치는 안보까지도 양보한다. 공기업 가운데서 가장 알짜라고 할 수 있는, 세계 공항 서비스 순위 1, 2위를 다투는 인천공항을 '선진 경영 기법을 배우기 위해'라는 어처구니없는 논리로 시장에 내다 팔려고 하는 이유도 그 때문이다. 여론의 거센 반대 속에서도 끝까지 4대강을 밀어붙였고 이것만으로 부족하니까 지천까지도 손대겠다고 하는 이유 역시도 결국은 대기업 자본에게 이익을 안겨주겠다는 속셈을 빼놓고는 설명할 수가 없다.

인사와 의사결정 스타일 역시도 왕회장 방식이다. 충언이나 직언을 하는 사람들은 절대로 측근으로 두지 않는다. 각하의 말이라면 뭐든지 예스만 하는 '딸랑이'들로만 주위를 두른다. 이런 식이니 내부에서 이견이 있을 리가 없고 토론, 수정, 보완과 같은 과정이 존재할 수가 없다.

각하의 말은 아무런 이의 제기도 없이 일사천리로 구석구석으로 퍼져나가 실행에 옮겨지고 이런 일방통행은 효율성 또는 순발력이라는 이름으로 포장된다. 각하의 방침이 바깥으로 나가서 실행에 들어갈 때 반대세력이 있다면 국가 기관을 동원해서 가혹하게 탄압한다.

성골들이 이명박을 인정해 줄 리는 없다. 박근혜는 끝까지 대놓고 대립각을 세우거나, 협력하는 척은 하지만 거리를 두고 있다. 이명박의 측근을 봐도 성골들의 생각을 엿볼 수 있다. 최고 권력을 쥐고 있으면 그 뒤로 줄을 대지 못해서 아우성이어야 할 텐데, 최측근 중에서 모태 보수로 분류할 수 있는 사람들은 거의 찾아보기 힘들다. 진골들이야 성골들이 이명박에게 붙는다면 대환영일 텐데, 성골들은 좀처럼 움직이지 않고 오히려 친박 쪽에 서서 이명박과 각을 세운다. 아무리 진골들이 성골이 되고 싶어서 별의별 짓을 다 한들, 모태 보수의 눈으로 보기에는 그들은 그저 진골일 뿐이다.

다만 보수의 골품제도가 신라의 그것과 다른 점이 있다면, 진골 신세를 대대로 이어 받는 것은 아니라는 점이다. 자식 세대에 가서는 비로소 성골로 입성할 수 있다. 그 가장 좋은 예는 기회주의 보수 박정희의 딸이지만 지금은 모태 보수의 정점에 올라서서 차기 대권을 노리는 박근혜일 것이다.

성골 : **그들만의 리그**를 구축해 놓은 모태 보수 세력들
진골 : 자꾸만 **용**이 되고 싶은 기회주의 보수

보수를
이어주는
커넥션,
조중동

•

,

조중동은 똑똑하다. 조중동은 섬세하다.
조중동은 교묘하다. 조중동은 세련되기까지 하다.
그런데, 무엇을 위해서?

보수를 이야기할 때 빼놓을 수 없는 존재가 있다. 바로 〈조선일보〉를 필두로 한 보수 언론들, 이른바 조중동이다. 이들이 맡은 가장 중요한 일은 자본가 보수와 기회주의 보수의 중간 지점에 서서 이 둘을 이어주는 것이다. 자본가는 광고주로서 언론사가 유지되는 데 필요한 돈을 공급한다. 따라서 자본가의 논리에 충실한 언론일수록 더 많은 광고 수입을 얻게 되고, 따라서 풍족한 자본을 바탕으로 신문의 품질을 높일 수 있다.

자본가 보수는 언론사를 길들이기 위해서 자신들이 가진 돈을 적극 활용한다. 자신들의 논리를 대변하는 쪽에는 광고를 실어주고 비판 언론에는 광고를 싣지 않는 치사한 방법을 동원한다. 김용철 변호사의 양심 선언 이후, 〈한겨레신문〉과 〈경향신문〉은 삼성의 부도덕한 행태를 앞장 서서 질타했다. 그러자 삼성은 이 두 신문에 광고를 끊어 버렸다. 곧바 로 두 언론사는 경영난에 시달려야 했고 직원들은 임금 삭감이나 무급 휴직으로 이 위기를 버텨야 했다.

약 2년 뒤, 삼성이 다시 두 신문에 광고를 내보내기 시작한 뒤의 일이다. 〈경향신문〉에서는 삼성그룹을 강하게 비판하는 김상봉 교수의 칼럼을 거부해서 회사 안에서 논란이 일었다. 결국 2010년 2월 24일에 이를 반 성하는 기사가 1면에 실렸다. 이 기사에서는 칼럼을 거부한 이유에 대 해서 '자칫 광고 수주 등에 영향을 미칠 수 있음을 우려한 때문'이라고 밝힌 뒤에 '편집 제작 과정에서 대기업을 의식해 특정 기사를 넣고 빼는 것은 언론의 본령에 어긋나는 것이지만 한때나마 신문사의 경영 현실을 먼저 떠올렸음을 독자 여러분께 고백한다.'고 잘못을 인정했다. 〈한겨레 신문〉 역시도 김 변호사의 책 《삼성을 생각한다》의 광고가 한동안 실리 지 않은 것을 두고 〈경향신문〉과 비슷한 자체 검열 논란이 일기도 했다.

유유상종이라고나 할까? 이러한 삼성의 수법을 이명박 정권에서도 그 대로 이용했다. 정권 초기에 정부는 방송 3사 중에서 가장 비판적이었 던 MBC에 캠페인 또는 협찬 광고를 대폭 줄여 버리고, 그 물량을 대신

KBS에 몰아준 일이 있다. 이 때문에 MBC는 2009년 상반기에 400억 가까운 적자를 기록했다. 이것은 MBC를 흔드는 구실이 되었다. 언론 자유가 보장된 선진국에서 이런 수법은 표현의 자유를 말살하는 치사한 술수라고 비난의 화살을 받을 일이지만 우리나라에서는 정부까지도 버젓이 이런 짓을 하고 있다.

이렇게 언론을 쥐락펴락할 수 있는 자본가 보수의 든든한 배경을 바탕으로 신문 시장을 지배하는 조중동은 실용이란 이름으로 기회주의 보수를 포장하고 자본가 보수와의 연을 이어준다. 또한 이를 바탕으로 보수 정권 창출에 열을 올린다. 이들은 무지몽매 보수를 계속해서 세뇌시킨다. 보수 정권에 반대하는 세력의 다양성을 무시하고 좌파, 종북세력으로 단순화 시켜서 날마다 매도하는 것은 이들의 전형적인 수법이다.

노무현 정부를 끊임없이 흔들고 이명박 정권을 탄생시킨 데에 혁혁한 공헌을 세운 이 언론들은 '민주주의는 어렵다'는 사실을 부정한다. 민주주의를 위해서는 시간을 두고 서로 다른 생각을 교환하기 위해서 토론하고 타협하는 과정이 반드시 필요하다. 하지만 조중동의 논리는 이런 과정을 부정한다. 이들은 입으로는 대화와 타협을 주장하지만 정말로 민주주의다운 대화와 타협이 필요한 우리 사회의 주요한 이슈를 놓고서는 그저 시간과 돈의 낭비고, 실용적이지 않다는 논리를 내세워서 교묘하게 밀어붙이기 식 일방주의를 편든다. 물론 상대는 좌파니까 대화와 타협 같은 건 필요 없다고 목소리를 높인다. 말로는 자유민주주의를 떠들지만 민주주의에 반드시 필요한 과정을 부정하고 독재자의 논리, 특히 밀어붙이기 식 개발의 표본이 되었던 박정희의 논리를 21세기에서까지 정당화 시키는 것이다.

이런 조중동의 논리를 그대로 받아들인 무지몽매 보수에게 참여정부는 피곤한 정권, 무능한 정권, 토론만 하다가 끝나는 정권으로 인식되고 반대로 이명박은 결단력과 추진력이 넘치는 정권, 시간 낭비 안 하고 일 잘하는 정권이라는 기대를 잔뜩 불어넣었다. 조중동의 이러한 위력은 차기 정권이 어느 진영에 돌아가든 당장은 큰 영향을 받지 않을 것으로 보인다. 정권 교체가 이루어진다고 해도 돈을 무기로 사회를 장악한 자본가 보수의 힘이 금방 큰 타격을 받지는 않기 때문이다. 따라서 이들의 논리를 그대로 전파해 줄 조중동과 그 종편들의 영향력은 그리 쉽게 약화되지는 않을 것이다.

반면에 진보 언론들은 여전히 재정 운영에서 어려움에 시달리고 있다. 삼성이 광고를 끊으면 직원들 월급을 걱정해야 할 정도로 어렵게 회사를 꾸려가고 있다면 조중동의 논리에 제대로 맞설 품질을 갖추기는 힘들다. 이런 현실이 나아지지 않는다면 무지몽매 보수를 조종하는 리모

컨으로서 조중동은 앞으로도 별 타격 없이 보수 진영 안에서 지금과 같은 지위를 누릴 수 있을 것이다.

보수는 조중동을 활용한다. 때론 조중동이 보수를 조종한다. 그들은 기꺼이 결탁한다. 왜? **돈이 되니까**, 기득권을 지켜주니까.

무지몽매 보수,
우리 편으로
만들자

;

욕만 할 일이 아니다. 답답해만 할 일이 아니다.
그들을 우리 편으로 만들어야 한다.

무지몽매 보수들은 한마디로 말해서, '아무 것도 모르는' 사람들이다. 이들은 자신이 가진 철학이나 성찰을 통해서 보수와 진보를 비교하고 결론을 내리는 사람들은 못 된다. 이들이 접근하는 정보의 폭은 무척 좁다. 그렇기 때문에 특정한 정보나 메시지에 따라서 쉽게 움직인다. 〈조선일보〉식 멸공이 진리라는 생각에 빠진 이들이 있는가 하면, 우리 사회에서 나를 먹여 살리는 것은 자본가이고, 그 자본가가 신봉하는 논리가 보수라면 나 역시도 그 대세에 따라가겠다는 식의 단순 논리가 지배하는 부류가 무지몽매 보수다.

다른 보수와는 달리 이들은 기득권이 없다. 보수의 편에 있다고 해도 기득권을 가질 수 있는 확률은 제로에 가깝다. 이들이 가질 수 있는 기득권은 그저 시위 현장에서 주먹을 휘둘러도 경찰한테 안 잡혀 간다는 정도일까? 그런데 '집도 절도 없는' 사람들이 기득권을 가진 사람들과 비슷하게 행동한다. 이들은 빈곤한 삶 속에서 자신의 자존감을 잃은 사람들이다. 그러다 보니 노예근성에 쉽게 물든다. 곧 자신이 기득권자에게 예속 되어서 그들에게 조종 되는 것을 당연하게 여긴다. 자본가가 잘 먹고 잘 사는 것은 당연한 것이니, 자신들이 할 일은 이들을 충실히 따르면서 열심히 콩고물을 받아먹는 것이라고 생각한다.

이들은 외부에서 주입하는 논리를 별 고민 없이 그대로 받아들이는 사람들이다. 따라서 맹목적이다. 맹목적이기 때문에 과격한 행동도 서슴지 않는다. 이른바 보수단체의 이름을 걸고 마구잡이 폭력과 테러를 일삼는 사람들의 사고구조는 단순하다. 이들에게서 염치나 양심을 찾기도 힘들다. 자신이 하는 일은 오로지 선이고 진리라는 생각과 맹목적인 믿음에 빠져 있기 때문이다. 기득권을 가진 보수와 조중동은 이들을 끊임없이 세뇌시키고 박수를 쳐 주면서 그 믿음을 더욱 단단하게 해 준다. 그럼으로써 기득권 보수와 언론은 자기 손에 피를 묻히지 않아도 된다.

인터넷에서는 이런 무지몽매 보수들을 비웃고 욕하는 댓글들을 흔히 볼 수 있다. 그런 욕에는 정당한 면이 있다. 무지몽매 보수는 항상 기득권을 가진 보수에게 이용 당하면서도 그 사실을 깨닫지 못하기 때문이다. 게다가 자신들이 보수와 한 몸이라는 착각 속에서 헤어나지 못하고 있다. 그렇게 자신의 정체성을 부정하는 무지몽매 보수는 한마디로 욕먹어도 싼 사람들이다. 마치 주인이 손에 쥐어준 채찍을 가지고 신이 나서 다른 노예들에게 채찍을 휘두르는, 완장을 찬 노예의 근성에 사로잡힌 사람들이다. 찬물이라도 한 바가지 확 끼얹듯이 호되게 야단치고 싶은 심정이다.

그런 식의 욕은 정동영의 이른바 '노인 폄하 발언'처럼 정치가의 입에서 나와서는 안 될 말이지만 현실을 자각하고 분노하고 있는 대중들의 입에서 나오는 것은 자연스러운 현상이다. 30%도 안 되는 최악의 20대 투표율을 기록한 18대 총선을 생각해 보자. 그 이후 정치와 투표에 무관심한 젊은 세대들을 욕하고 비웃는 여론이 들끓었다. 이러한 분위기가 젊은 세대들을 자극하면서 이후의 선거에서는 더 많은 관심과 참여를 이끌어냈다.

물론 맹목적인 보수 논리에 완전히 눈이 멀어 버린 사람들에게 처음에는 씨알도 안 먹힐 것이다. 그러나 자신의 정체성에 대해 생각해 볼 여지가 조금이라도 있는 사람의 경우라면 아직 희망이 있다. 그런 비난과

욕이 한편으로는 기분 나쁘고 화가 나겠지만 다른 한편으로는 '아, 내가 이래도 되는 건가?' 라는 성찰의 기회를 줄 수 있기 때문이다.

욕할 때 욕하더라도, 많은 무지몽매 보수들이 놓여 있는 현실을 이해하는 눈이 필요하다. '요즘 트위터나 페이스북 안 하는 사람들도 있나?' 라고 생각하기 쉽겠지만 아직도 우리 사회의 서민들 상당수에게 표현의 자유란 말은 사치스러운 얘기다. 트위터, SNS, 팟캐스트 같은 것은 남의 나라 얘기인 사람들이 아직도 한국 사회에는 너무나 많다. 장시간 노동에 시달리다가 집에 돌아오면 지쳐 쓰러져 잠을 청하기 바쁜 사람들이 볼 수 있는 정보 창구란 텔레비전과 라디오 방송, 회사 휴게실에 널려있는 조중동 같은 신문들뿐이다. 이런 상황에 있는 사람에게 균형 잡힌 시각을 요구하기란 매우 어려운 일이다.

이명박은 무지몽매 보수를 조종하고 자기들이 원하는 방식으로 부려먹기 위해서는 방송의 영향력이 절대적이라는 사실을 정확하게, 히틀러만큼이나 정확하게 꿰뚫고 있었다. 그래서 온갖 비난과 역풍을 무릅쓰고 기어이 방송을 손아귀에 넣으려고 몸부림쳤고 영향력을 가진 방송사들을 하나하나 장악하기 시작했다.

향후 권력이 진보 개혁 세력에게 넘어온다고 해도 그 상황은 계속해서

만만치 않을 것이다. 철저하게 사유화 되어 있는 조중동 권력은 당분간은 건재할 것이다. 이들은 종합편성 채널이라는 또 하나의 무기를 얻게 되었다. 이 강력한 무기를 바탕으로 진보 개혁 세력을 끊임없이 공격하는 한편, 무지몽매 보수들에게 이성을 마비시키고 착각 속에 빠지도록 만들기 위해 편협한 정보들을 주입시킬 것이다.

하지만 다행스럽게도, 다른 부류의 보수에 비해서 무지몽매 보수는 진보 성향으로 사고를 전환하기가 쉬운 편에 속한다. 이들 역시도 돈과 기득권에 따라서 움직이지만 그 양이나 질은 다른 보수에 비하면 새 발의 피도 안 될 만큼 무척 소박하기 때문이다. **이들은 소박한 이익에도 민감하게 움직일 수 있다.** 우리는 이 점에 주목해야 한다.

80~90년대에 '민가협 엄마'들로 지칭되는, 운동권 아들딸이 수배나 감옥 생활을 하게 되면서 생각의 전환을 이루게 된 사람들 대부분은 그 전에는 운동권 자식들 때문에 골머리를 앓던 보수층이었다. 하지만 자식들이 겪는 온갖 고초와 불이익을 느꼈을 때, 이들은 자신들이 알고 있었던 정보가 일방적이고 잘못 되었다는 것을 깨달았고 현실을 자각하기 시작했다. 마찬가지로 무지몽매 보수들은 **꼭 현실적인 이익이 아니더라도 피부로 느끼고 절감할 만한 계기를 만든다면 충분히 사고의 전환을 이룰 수 있다.** 무지몽매 보수 대부분은 지켜야 할 돈이나 기득권

을 많이 가진 사람들이 아니다. 단지 편협한 정보와 인식 부족이 때문에 보수가 된 사람들이다.

김대중 노무현 정부는 이들의 생각을 바꿔 놓을 수 있는 절호의 기회였다. 만약 이 10년 동안에 서민층, 빈민층들이 실제로 어떤 이득을 얻을 수 있는가를 피부로 느끼게 만들어주었다면 많은 무지몽매 보수를 자각 시키고 이들을 우리 편으로 끌어들였을 것이다. 하지만 결국은 신자유주의와 사회양극화의 물결 속에서 이러한 희망은 실패로 돌아가고 말았다. 진보 정권마저도 자본가 보수와 기득권층의 눈치를 보는 모습들이 이어지면서, 혹시나 하는 기대를 걸었던 서민 보수들은 좌절과 분노에 빠졌다. 결국 그 다음 대선에 이들은 이명박에게 몰표를 던졌다.

최근엔 이들에게도 분명한 변화의 조짐이 보이고 있다. 그동안 진보 정당의 보편적 복지 주장에 대해서 비현실적이라면서 미적미적했던 민주당이 결국 보수와 대결하는 주요한 쟁점으로 보편적 복지를 들고 나왔기 때문이다. 무상급식으로 대표되는 보편적 복지는 결국 민주당과 한나라당까지도 무상보육과 같은 복지 담론으로 끌고 들어오는 데 성공했다. 그 결과는 어땠을까?

복지 담론이 진보 진영의 중심축으로 들어선 이후에 투표 성향은 눈에 띄는 차이를 보이고 있다. 지난 2010년 지방자치단체 선거 때만 해도 오세훈이 간신히 한명숙을 제치긴 했지만 투표의 결과는 2006년과는 확실하게 달랐다. 오세훈은 '강남 3구 시장'이라는 오명을 뒤집어쓸 정도로 강남 바깥의 지역에서는 철저하게 고립 당했고, 의회는 물론 대부분의 구청장까지도 야당에게 빼앗기는 사면초가 신세가 되었다. 그 뒤에 개표는 하지 못했지만 "25.7% 투표율로 사실상(?)의 승리"를 거둔 무상급식 투표에서도 오세훈은 역시 강남에 철저하게 고립되어 버렸다.

이렇게 야당이 약진한 비결은 무엇이었을까? 당시 야당에 오세훈만큼의 인기를 가진 스타가 있었던 것도 아니었다. 오히려 야당은 천안함 사건과 같은 대형 악재에 맞닥뜨린 상황이었다. 지자체 선거의 최고 인기 스타는 역시 무상급식으로 대표되는 보편적 복지였다. 이전까지는 맹목적으로 이명박과 오세훈에게 표를 던진 서울의 무지몽매 보수들이 자신들의 소박한 이익을 누가 챙겨줄 것인가에 대해서 깨닫기 시작한 것이다. 그 이익은 이 땅에서 열심히 일하는 사람으로서 당연히 누려야 할 것들이었다. 보수는 그 당연한 이익마저도 빼앗아 놓고서는 그들을 조종하고 부려먹기 위한 수단으로 철저하게 이용해 먹었던 것이다.

무지몽매 보수를 우리 편으로 끌어들이기 위한 작전은 두 가지로 요약될 수 있다. 하나는 끊임없이 그들의 무지몽매함과 노예근성을 꼬집고 비틀면서 자극하는 것이다. 다른 하나는 그들이 자신의 소박한 이익을 위해서 누구의 편에 서야 할지를 보여주고, 더 나아가 그 이익을 피부로 느끼게 해주는 것이다. 채찍과 당근, 양동작전이 필요하다.

무지몽매 보수는 돈에도 기득권에도 정보에도 모두 소외되어 있는 안쓰러운 보수들이다. 마음을 열고 정보를 주고 피부로 느끼게 해주면 얼마든지 **우리 편이 될 수 있다**고 믿는다.

보수는
어떻게
세일즈하고
있는가

미래형 꼼수로 현재를 얻는다;

급한 대로 멋진 미래를 약속하고 현재의 위기를 넘기는 데 능한 보수들.
그러나 그 미래가 현실이 된 적은 거의 없었다.

한국의 보수, 특히 기회주의 보수에게 미래는 그다지 큰 의미가 없다. 지금 자신들이 하는 일이 앞으로 어떤 여파를 미치게 될지에 대한 통찰력이 결핍되어 있다. 그들이 신경 쓰는 것은 오로지 현재다. 지금 어떤 이득을 얻을 수 있는가, 당장 닥쳐오는 위기를 어떻게 모면할 것인가, 보수는 이 문제에 집착한다. 이것은 보수가 지닌 어쩔 수 없는 한계다. 현재 가진 것을 지키는 것이 그들의 목표인 이상 언제나 초점은 바로 코앞에 맞춰져 있을 수밖에 없다.

이러한 보수의 속성이 가장 잘 드러난 것이 2008년 총선 때 수도권에 바람을 일으켰던 뉴타운 공약이다. 당시 불리한 상황에 놓여있던 여러

한나라당 후보들이 뉴타운 바람을 타고 역전에 성공했다. 이른바 '뉴타운돌이'라고 지칭되는 이들 중에는 신지호나 진성호 같은 기회주의 보수는 물론 홍정욱 같은 모태 보수들도 끼여 있다. 눈 앞의 확실한 이익 앞에서는 모태 보수, 기회주의 보수 할 것 없이 하나 되는 것이 보수의 전형적인 속성이다. 심지어는 위기감을 느낀 일부 민주당 의원들까지도 이 바람에 편승하는 일조차 벌어졌다.

지금 그 뉴타운은 어떻게 되었나? 2011년 김황식 총리마저도 국회 대정부 질문에서 "뉴타운은 지금 시점에서 볼 때 실패한 정책"이라고 실토하는 상황이 되었다. 뉴타운 공약은 대국민 사기극이었다. 국회의원들에게는 뉴타운을 추가 지정할 수 있는 권한이 애초부터 없었다. 총선이 끝나자마자 오세훈은 "뉴타운 추가 지정을 고려하지 않겠다", "기존 뉴타운 지구의 확대 지정 계획도 없다" 라고 발언했다. 약속을 뒤집은 게 아니라, 애초부터 약속 자체가 없었던 것이다.

문제는 결국 오세훈과 정몽준 사이의 진실 공방으로 번졌다. 정몽준은 선거 지원 유세에서 오세훈에게 뉴타운 추가 지정에 대한 약속을 받았다고 주장했고, 오세훈은 그런 사실이 없다고 했다. 하지만 이미 선거는 끝났고, 집 한 칸 없는 사람들조차도 뉴타운에 대한 막연한 기대감으로 뉴타운돌이를 대거 탄생시켰다.

뉴타운 문제는 단지 선거 사기극으로 끝나지 않았다. 많은 서민들의 삶을 코너로 몰아넣고 있는 전세값 폭등의 원인을 쫓아가 보면 뉴타운이 있다. 뉴타운에 대한 기대심리가 불붙으면서 이들 지역 주변에서 막개발이 벌어졌고, 이 과정에서 대규모 철거로 많은 세입자들이 살던 곳에서 쫓겨나는 상황이 벌어졌다. 그들이 어디로 가겠는가? 결국 이러한 과정들이 연쇄적으로 일어나면서 전세값 폭등으로 이어진 것이다.

그런데 2011년 서울시장 보궐선거에서 한나라당 나경원 후보는 뉴타운 정책을 재고하겠다고 말했지만 또 다른 형식의 뉴타운 재탕을 내놓았다. 비강남권 아파트에 대해서는 재건축을 할 수 있는 시기를 앞당겨 주겠다는 공약이 그것이다. 2008년 총선 때 나온 뉴타운 공약이 어떤 여파를 일으켰는지를 제대로 본다면 이 공약 또한 어떤 결과를 몰고 올지 누구나 쉽게 예측할 수 있다. 그렇다면 왜 이런 재탕 공약을 내놓았던 것일까? 이유는 간단하다. 그들에게는 당선이 중요하지 미래 따위는 중요하지 않기 때문이다.

보수는 이미 수많은 꼼수를 통해서 현재의 위기를 넘겨 왔다. 위기를 넘기기 위한 꼼수가 원인이 되어 나중에 더 큰 위기가 몰아닥치면 그 때 가서 또 다른 꼼수로 넘기면 된다. 일단 지금 사람들이 솔깃하게 느낄 만한, 뭔가 미래에 이익을 안겨줄 만한 것을 던져 주고 그 대가로 현재의 이익을 챙긴다. 결국 책임지지 못할 미래를 저당 잡혀서 현재를 얻는 셈인 것이다.

보수가 대체로 남는 장사를 하는 이유는 여기에 있다. **현재의 이익은 실현되는 이익이지만 미래의 이익은 허상이기 때문이다.** 일단 보수가 현재의 이익을 챙기고 나면 대중들에게 줘야 하는 미래의 이익에 대해서는 화장실 갈 때와 나올 때 생각이 달라지는 것처럼 마음이 얼마든지 변할 수 있다. 미래의 이익이 물거품이 되고 나서 아무리 욕하고 분노해봐야, 보수는 이미 챙길 것 다 챙겨 먹은 뒤다.

이런 보수의 버릇에는 지금까지 손바닥 뒤집듯이 약속을 깨뜨렸을 때 유권자가 이를 제대로 응징하지 못한 데에도 원인이 있다. 과거의 잘못과 사기극을 감추고 국면 전환을 노리기 위해서 새로운 거짓말을 들고 나왔을 때, 많은 사람들이 이 꼼수에 또 속아 넘어 갔다. 이런 거짓말에서 가장 단골로 등장하는 것이 '개발'이란 두 글자다.

아직도 많은 사람들은 개발에 대한 환상에서 벗어나지 못하고 있다. 개발이 이루어지면 부동산 대박으로 이어지고, 부동산 대박은 지역 주민들을 돈방석에 올려놓을 것이라는 단순한 환상은 아직도 우리 사회를 지배하고 있다. 한반도 대운하가 좌절된 뒤, 이명박 정권이 4대강 살리기를 들고 나왔을 때 심지어는 민주당이 장악하고 있던 전라남도의 지자체까지도 '개발'이라는 환상에 도취되어 영산강 삽질 사업에 찬성한 것을 봐도 충분히 알 수 있다. 전라남도지사 박준영은 "4대강은 정치 논리지만 영산강은 지역 현안"이라는 궤변까지 만들어가면서 개발 삽질을 거들었다.

앞으로 총선과 대선으로 이어지는 정치 국면, 그리고 그 너머의 상황 속에서도 보수 진영은 끊임없이 '개발'을 앞세워서 책임지지 못할 미래를 저당 잡히며 현재의 이익을 챙기려고 들 것이다. 보수는 모든 사람들이 크건 작건 돈과 기득권을 원한다는 욕망을 잘 알고 있다. 그래서 그 욕망을 계속해서 자극해 나갈 것이다. 차용증서 하나 없이 우리의 미래를 저당 잡으려는 그들의 꼼수 술책에 언제까지 속아 넘어갈 것인가? 그들이 챙겨먹은 것은 지금까지만으로도 충분하고도 넘친다.

미래는 불확실하다. **개발** 주장에 속지 말고,
사람을 보자. 과거의 행태를 보면 **꼼수** 구별은
어렵지 않다.

진보는
당위성을,
보수는
이익을 얘기한다

.
,

보수의 얘기가 솔깃한 데에는 이유가 있다.
진보의 얘기가 어렵게 들리는 데도 이유가 있다.
어디서 오는 차이일까?

정치인, 특히 권력을 가진 정치인이 해야 할 중요한
일들 가운데 하나는 갈등을 조정하는 것이다. 어떤 정
책이나 사업을 추진하는 과정에서는 거의 모든 경우에 여러 집단의 이
해관계가 맞물리고 부딪치게 마련이다. 사회가 점점 발전하고 커질수
록 이런 이해관계는 더욱 더 복잡해진다. 이런 실타래를 풀어야 하는 것
이 정치가 안고 있는 중요한 책임이다. 이 과정에서 진보와 보수는 중
요한 차이를 보인다.

진보는 주로 당위성을 바탕으로 설득하려고 한다. 곧, '이 정책이나 사
업을 추진함으로써 사회적으로 어떤 발전이 이루어지는가'를 설명하는

것이 진보가 주로 활용하는 방법이다. 참여정부에서 가장 역점을 두었지만 결국 좌절됐던 행정수도 이전 문제를 떠올려 보자. 정부에서 주로 사용했던 언어는 국가균형발전이었다. 곧 수도권 집중을 막고 지역 사이에 존재하는 불균형을 완화시킴으로써 나라를 전체적으로 발전시키고 격차를 줄이자, 이런 접근 방법이었다.

그런데 이러다 보니 수도권을 중심으로 극심한 반대에 부딪쳤다. 참여정부의 접근 방식을 수도권의 관점으로 풀어 보면 한마디로 '너희들은 손해를 보라'는 것이다. 아무리 많은 것을 가졌어도 많이 벌었으니까 손해 보라고 하는데 좋아할 사람은 없다. 하다못해 월급쟁이라도 너 올해 월급 올랐으니까 세금 더 내, 건강보험료 더 내, 하고 얘기하면 좋아할 사람 없다. 보수 진영은 이러한 수도권의 불만을 계속해서 부추기고 부채질했고, 결국 헌법재판소의 '관습헌법'이라는 문학적 창조력을 등에 업고 행정수도 이전을 좌절시키고 말았다.

보수의 접근 방법은 이와 다르다. 보수는 주로 이익을 바탕으로 설득에 나선다. 곧, '이 정책이나 사업을 추진함으로써 당신에게 어떤 이익이 돌아갈 것인가'를 설명하는 것이 보수가 주로 활용하는 방법이다. 당위성을 바탕으로 전반적인 이익을 얘기하는 진보와 달리 보수는 '이익 배분'을 얘기한다. 이해관계가 상충되는 집단들에게 어떻게 이익을 나

뉘줄 것인가, 이것이 보수가 이들을 설득하는 언어다.

이런 보수의 전략을 잘 보여준 것이 청계천 사업이다. 당시 이명박은 상권을 지키기 위해서 청계천 복원을 강력하게 반대하고 나섰던 주변 상인들에게 가든파이브를 제시했다. 곧, 더 깨끗하고 훨씬 시설도 좋으며 넓은 대단위 상권을 만들어 주겠다, 그쪽으로 가면 이곳보다 장사가 더 잘 될 것이다, 하면서 상인들을 설득했다. 물론 그곳 상권이 발전하면 상가의 가격도 뛸 것이라는 부동산 기대 심리까지 부추겼다. 그 결과, 큰 충돌 없이 문제가 해결되었다.

청계천 복원 사업을 통해서 이명박이 얻은 것은 단지 불도저 식 실행력이나 근사하게 꾸며놓은 도심 한복판의 랜드마크만은 아니었다. 사람들에게 갈등을 효과적으로 풀어나갈 수 있는 조정자로서 능력을 인정받은 것이다. 당시 이명박의 모습은 참여정부와는 무척 대조적이었다. 보수와의 갈등은 물론이고 한미 FTA나 이라크 파병 문제에서 내부 갈등조차 제대로 해결 못하고 우왕좌왕하는 모습, 여러 가지 정책이나 사업이 갈등 조정을 제대로 하지 못해서 표류하고 심지어는 뒤집히는 모습에 질렸던 사람들에게 이명박의 모습은 신선하고 유능한 것으로 비추어졌다. 이러한 이미지는 대선으로까지 이어져서 이명박 정권의 탄생을 낳은 요인 가운데 하나가 되었다.

물론, 그렇게 청계천 상인들을 꼬드겨서 데리고 간 가든파이프가 지금 어떤 꼴이 되어 있을까? 한마디로 그들은 속았다. 일단 아직까지도 상권형성이 이루어지지 못한 상태에서 파리만 날리고 있다. 게다가 분양가도 너무 비쌌다. 조승수 의원이 서울시 자료를 분석한 결과를 보면 가든파이브 입주 대상이었던 청계천 상인 가운데 실제로 이곳에 자리를 잡은 비율은 40%에 지나지 않는다고 한다. 상권이 제대로 만들어지지 않은 상태에서 임대료와 관리비는 비싸기만 하니, 아예 들어가지 않거나 들어갔다가도 비용 감당을 못해서 사업을 접거나 쫓겨나기까지 했다는 것이다.

지금까지 한나라당에서 약속한 수많은 이익들이 사실은 부도수표로 밝혀졌지만 보수는 알고 있다, 구체적인 이익을 그럴듯한 그림을 그려서 제시하면 사람들은 다시 귀가 솔깃해진다는 것을 말이다. 유권자 처지에서 본다면 당장 내 돈 들어가는 건 아니니 '밑져야 본전, 터지면 대박'이라는 유혹에 빠지기 쉽기 때문이다. 보수가 어떤 집단인가? 오로지 한평생 돈과 기득권만을 쫓아다닌 집단이다. 그래서 크건 작건 이익을 원하는 사람들의 본질적인 욕망을 잘 안다.

절대 손해 보는 것을 싫어하는 보수는 남들도 마찬가지인 걸 안다. 곧, 상대방에게 무언가 손해를 요구하기 위해서는 이익 배분이 필요하다는 것도 안다. 그래서 설령 나중에 부도가 나더라도 일단 수표에 사인해서 상대방에게 건네주는 것이다. 일단 속임수라도 써서 문제를 풀어 놓고 나면 곧바로 사업을 밀어붙인다. 나중에 속임수가 들통 나더라도 이미 때는 늦어 버렸다. 이미 땅은 다 파 버렸고 청계천 상권은 프랜차이즈 카페들이 다 먹어버렸는데.

비록 거짓으로 드러나긴 했지만 이러한 보수의 전략은 진보에게도 생각할 거리를 던져준다. 진보가 갈등 해결을 시도할 때에는 이념, 가치, 명분과 같은 것들을 앞세우는 데 반해서 보수는 툭 까놓고 "너희들 원하는 것도 여기 있잖아?"로 접근한다. 이익과 이익을 맞교환하는 방식으로 문제를 푼다. 이런 전략은 대중들에게는 화통하고 솔직한 이미지, 근원적인 문제를 통찰하고 이를 해결하려는 효율적인 모습으로 비쳐지게 된다. 반면 진보 진영에 대해서는 솔직하지도 못하고, 말만 복잡하고 시끄러운, 뒤로는 이익을 추구하면서 문제 해결도 제대로 못하는 무능한 집단으로 바라보게 되면서 짜증을 내게 되는 것이다.

사람들은 누구나 겉으로는 당위성에 고개를 끄덕이지만 아무도 보지 않는 투표소 안에서는, 또는 익명성이 보장되는 여론조사에서는 자신에게 돌아올 이익을 먼저 생각하고 움직인다. 따라서 진보 진영이 사회적인 갈등을 조정하고 설득할 때에는 당위성 말고도 반드시 각자가 손해

보는 만큼 무엇을 얻을 수 있는지를 설명해야 한다. 전반적인 이익이 아니라 각 집단별로 얻을 수 있는 것이 무엇인지를 구체적으로 제시해 주어야 효과적으로 문제를 풀 수 있을 것이다. 물론 보수처럼 부도수표를 남발해서는 안 되겠지만.

보수는 전반적인 이익이 아니라 각자를 위한 이익을
앞세워 얘기한다. 당장은 모두 솔깃해 할 수밖에 없다.

보수의 충성 고객,
그리고
보수의 고객 만족

•

,

보수는 서비스 정신에 충실하다. 충성 고객과의 관계도 끈끈하다.
당신이 그 고객이 아닌 게 문제일 뿐.

2010년 서울시장선거에서 한나라당 오세훈 후보는
전체 25개 구 가운데 17개 구에서 지고도 강남 3구
의 몰표를 바탕으로 승리를 거두었다. 이러한 선거 결과로
오세훈은 '강남시장'이라는 달갑지 않은 별명을 얻게 되었다. 이렇듯 최
근 들어 서울시에서 치러지는 선거는 '부자 강남 3구 대 나머지 구'의
대결 양상을 보이고 있다.

강남구, 서초구, 송파구로 이어지는 강남 3구는 서울만이 아니라 우리
나라 전체의 기득권층을 상징하는 지역으로 굳어져 가고 있다. 한나라
당에 대한 쏠림 현상도 두드러지지만 투표율에서도 서울 전체에서 선

두를 기록할 만큼 참여도도 높다. 한나라당 간판만 들고 나오면 마치 파블로프의 개와 같은 반사 신경으로 찍어주는 두터운 충성 고객들에게는 선거운동조차도 필요 없다. 그렇다고 너무 선거운동을 안 하자니 무시한다는 소리를 들을 것 같고, 그래서 이들 지역에서 선거운동은 요식행위나 마찬가지다.

이렇게 확실한 충성 고객을 확보하고 있기 때문에 보수 정치인들은 안심하고 흰 밀가루를 뒤집어쓰고 늑대 발을 감추며 서민들에게 접근할수가 있다. 충성 고객들은 안다, 한나라당이 아무리 서민을 위하고 친서민 정책을 내놓는다고 해도 돈과 기득권으로 단단히 뭉친 관계가 절대 깨어지지 않는다는 것을. 공약은 그저 공약일 뿐이고, 선거에서 얻을 거 다 얻고 나면 뒤집으면 그만이다. 그렇기 때문에 아무리 한나라당이 서민 정당인 척해도 기득권 세력들은 자동적으로 한나라당에 표를 던진다.

강남을 중심으로 한 기득권 세력들이 이렇게 표를 몰아주면 한나라당도 그에 따른 보답을 해야 한다. 이들의 돈과 기득권을 최대한 지켜주기위해서 노력하는 것이 그 보답이다. 이들의 분배나 복지에 관한 기본 정책은 낙수효과(trickle down effect)에 바탕을 두고 있다. 곧 부자들이 돈을 더 많이 벌고 돈을 더 많이 쓰기 좋은 환경을 만들어 줘야 그 돈이 아래로 흐르고 흘러서 서민들까지 덕을 보게 된다는 논리다. 따라서 아무리 한나라당이 친서민 정책을 표방한다고 해도, 이들의 우선순위는 기득권 보수고, 우선 이들이 돈을 벌어야 서민도 그 떡고물을 받아먹으면서 잘 산다는 논리를 버리지 않는다.

외환위기 이전까지는 이런 논리가 잘 먹혀들었다. 적어도 겉보기에는 맞는 말처럼 보였다. 하지만 외환위기가 몰아닥친 이후 자본가들은 현금 고갈이 자신들에게 어떻게 위협이 되는지 경험했다. 그 이후로는 현금이 들어오는 족족, 고용이나 투자에 쓰는 대신에 탐욕적으로 자기들의 금고 속에다가 집어넣어 버렸다. 따라서 수출이 아무리 증대되어도 서민층에게는 그 혜택이 돌아가지 않는, '고용 없는 성장' 구조가 점점 굳어져 가고 있다. 그러나 여전히 보수층의 논리는 이러한 낙수효과에서 벗어나지 못하고 있다. 조중동을 위시한 보수 언론들은, 부자들 지갑을 못 열게 하니까 서민들이 어려운 거라고 떠든다.

낙수효과가 잘 안 먹히면 이번에는 불안감을 조성한다. 경제는 시장에 맡기면 되는데 규제 때문에 기업하기 힘든 나라라고 주장한다. 자꾸 그러면 기업들이 해외로 나가고, 그러면 서민들 일자리가 줄어서 살기 힘들어질 것이라고 공포심을 조장한다. 이러한 전략은 서민들에게 '우리는 자본가에게 매달려서 살아갈 수밖에 없는 존재'라는 인식을 심어주고, 그에 따라서 자본가의 논리에 순응해서 자본가 보수의 이익을 위해서 봉사하고, 이들의 주장에 호응하여 이들을 위해서 투표하도록 만든다.

여러 가지 연구와 선거 출구 조사 등에서 보면, 경제 구조의 하위 계층에 속하고 교육 수준이 낮은 집단에서는 보수 진영을, 중산층과 엘리트 계층에서 진보 진영을 지지하는 현상이 나타나는 것도 이러한 자본가의 논리와 깊이 관계되어 있다. 곧, 기반이 불안하고 생계 자체를 항상 위협받는 서민들에게는 자본가의 위협이 잘 먹혀 들어가는 반면, 어느 정도 안정된 기반을 갖춘 중산층들은 이에 쉽게 속아 넘어가지 않는 것이다.

보수와 그들의 고객인 기득권층은
서로 손발이 참 잘 맞는다. 찍어주니 이득을 주는
아름다운(?) **관계**이기 때문이다.

서민들이
보수를
찍는 이유

•

,

서민들을 향한 보수의 전략과 반응,
서민들을 위한 진보의 노력과 반응을 비교해보자.

왜 서민들은 같은 편, 진보 진영 대신에 자본가에게
투표하는지, 그 이유를 좀 더 꼼꼼하게 짚어 보자. 서
민들이 이른바 '계급 배반' 성향을 보이는 것은 자본가 보수의 여러 가
지 통제 정책과 위협, 정당화 논리에도 바탕을 두고 있지만 진보 진영의
작전 실패에도 원인이 있다.

진보 진영이 집권한 10년 동안 김대중 노무현 정부는 서민층을 충성도
높은 정치적 기반으로 확보하는 데 실패했다. 이는 단지 두 정권의 실
패가 아니라, 진보 진영 전체의 실패다. 정권을 혹독하게 비판했던 진보
정당들 역시도 서민들에게 믿음을 주는 데 실패하기는 마찬가지였다.

진보 정당에서 강력하게 주장했던 부유세 문제를 생각해 보자. 논리는 단순하다. 부자들에게 많은 세금을 걷어서 이를 서민 복지에 쓰자는 것이다. 그렇다면 그 세금은 어떻게 걷을까? 부자건 서민이건 누구도 세금 더 내라고 하면 순순히 받아들일 사람은 없다. 역사적으로 조세저항은 세금과 함께 따라다녔다. 소금세가 프랑스 혁명을 일으킨 주요 원인 가운데 하나였고, 홍차에 대한 세금은 보스턴 차 사건의 도화선이 되어 미국 독립전쟁으로 번졌다. 하지만 진보 정당들은 이 문제를 너무 우습게 본 나머지 이에 대한 기득권층의 저항에 부딪치고 서민들의 지지조차도 받지 못했다.

참여정부가 부동산 투자에 대해 강력한 세금 정책으로 이익을 회수하려고 했을 때, 기득권층이 '세금 폭탄'이라는 이름을 붙여가면서 저항했던 대결 구도를 생각해 보자. 이 폭탄을 맞을 일이 없는 서민들마저도 기득권층의 논리에 동조하면서 참여정부는 힘을 잃었다. 당시 이런 일화가 있었다. 여당인 열린우리당으로 항의 전화가 와서 "왜 종부세를 만들어 서민을 어렵게 만드느냐"라고 따지더란다. 그런데 알고 봤더니 월세 사는 분이었다. 당시 종합부동산세는 6억 이상의 집을 가지고 있는 사람들에게만 해당되는 얘기였다. 이런 얘기를 들으면 아마도 항의 전화를 건 사람을 무식하다고 비웃을지도 모른다. 하지만 세금에 대한 대중의 반발 심리는 조건 반사에 가까울 정도라는 점을 이해해야 한다.

진보의 핵심 정책들은 어쩔 수 없이 더 많은 세금을 필요로 한다. 그렇다면 서민들은 물론이거니와 세금을 내야 하는 계층들까지도 설득시킬 방법을 고민해야 한다. '너희들은 잘 먹고 잘 사니까 더 많이 내야 돼' 라는 단순 논리는 자본가 보수의 주장에 오랫동안 젖어 있었던 서민들에게조차 "대통령이 되면 국회의원들을 모조리 구속시키겠다!" 했던 허경영의 주장만큼이나 허무맹랑하게 들릴 수밖에 없다. 부자들을 압도할 수 있는 강력한 카리스마와 리더십, 그리고 신망을 바탕으로 긴 안목을 가지고 계속해서 비전을 제시해야 한다. 당장 서민들이 피부로 느낄 수 있는 복지 정책을 하나 둘씩 실천해 나가는 것이 중요하다.

또한 서민들이 보수를 찍는 이유에는 '너희들은 결국 우리들에게 빌어먹는 존재'라는 자본가들의 논리에 영향 받은 측면이 많다. 자본가들이 고용을 마음대로 좌지우지하고, 실직이 곧바로 생계 위협으로 내몰리면 서민들은 권력이 자본가에 있다고 생각하게 되고, 살아남기 위해서 자본가의 논리를 충실하게 따라다닐 수밖에 없다. 그래서 노동 정의가 필요하다. 자본가들이 서민들에게 밥줄을 무기로 협박을 함부로 하지 못하게 막아줘야 한다. 그렇게 하면 '기업하기 힘든 나라'라는 불평이 터져 나올 것이다. 하지만 선진 사회에서는 기업하기가 어려운 게 당연하다. 제대로 된 사회라면 기업은 단순히 돈을 버는 존재가 아니라 사회적 책임을 깨닫고 실천하는 주체가 되는 게 당연하게 여겨져야 한다.

이런 면에서 볼 때, 참여정부에서 이른바 '노동시장 유연화' 정책이 이루어진 것은 노 대통령도 퇴임 뒤에 후회했던 것처럼 뼈아픈 실책이었다. 실업과 재취업에 관한 사회 안전망이 충분하지 않은 상태에서 이루어진 이러한 유연화 정책은 결국 해고만 쉽게 만들고 비정규직을 양산함으로써 서민들의 고용 불안으로 이어졌다. 과연 정말로 서민의 편인지에 대해서 의심 받을 수밖에 없게 된 것이다.

2007년 대선은 이러한 진보 진영의 실패가 가져온 결과였다. 많은 사람들이 이명박에게 투표한 것은 이성적 판단이라기보다는 감성적 결정이었고, 정책에 대한 신중한 비교보다는 직관적 판단에 바탕을 둔 결과였다. 사람들은 이명박이 부도덕하다는 것을 알고 있었다. 그러나 진보 정권도 자신들의 안정된 경제 기반을 마련해 주지 못한다면 차라리 보수 진영에서 주장하는 낙수이론이 먹고사는 데에는 도움이 될지도 모른다고 판단했던 것이다.

보수 진영에서는 '좌파는 부자의 것을 빼앗아서 가난한 사람에게 나눠 주려고 한다'고 비난한다. 하지만 우리나라의 진보가 사람들에게 그렇게라도 인식되어 있다면 차라리 다행이다. 지금의 진보 진영에 대해서 서민들이 가지고 있는 생각은 부자에게 빼앗아서 가난한 사람들에게 주지도 못하고, 그래서 부자도 가난해지고 자기들도 가난하게 만든다는 식이다. 이제는 진보를 하면 서민들도 잘 먹고 잘 산다는 것이 상식으로 여겨질 수 있는 체계를 갖추어야 한다. 물론 쉽지 않다. 오랜 시간이 필요하고, 끈질긴 설득과 타협의 과정이 필요하다.

이런 과정이 금방 효과를 드러내지 않는다고 해서 좌절할 필요는 없다. '우리는 서민을 위해서 이렇게 열심히 일하고 있는데 왜 저들은 우리에게 쉽게 설득되지 않는가?' 라는 좌절감으로 자포자기한 사람들이 바로 기회주의 보수다. 전 세계 복지 국가의 모범이라고 할 수 있는 북유럽도 그와 같은 시스템을 갖추는 데에는 50년 이상이 걸렸다. 우리도 그만큼 긴 전망을 가져야 한다. 조급증에 걸려서 모든 것을 한꺼번에 실행에 옮기려고 한다면 결국은 누구의 지지도 이끌어내지 못하고, 결국 자기 자신조차도 지쳐 나가떨어지게 된다.

유권자들의 이해력 부족을 탓할 게 아니다.
왜 보수의 주장은 먹히고, **진보**의 설득은 통하지
않았는지 **반성**할 일이다.

무식하면
뭉치고
똑똑하면
흩어진다

;

제목을 잘 보자.
뭉치면 무식한 것들이고 흩어져 있으면 똑똑한 족속들이라는 말이 아니다.
지금까지는 아주 틀린 말은 아니었지만.

흔히 '보수는 부패로 망하고 진보는 분열로 망한다'
고들 한다. 보수 진영에서는 민정당 ⋯ 민자당 ⋯ 신한국당 ⋯ 한나
라당으로 이어지는 주도권이 전두환 정권 때부터 대체로 안정되게 이
어져 온 데 반해, 진보 진영은 여러 차례 주도권 다툼과 분당, 합당, 이
합집산을 거쳐야 했다. 그리고 아직도 이념에 따라서 여러 당으로 나눠
져 있다. 물론 보수 진영에도 자유선진당이나 국민중심당이 있지만 한
나라당에 비하면 세력의 격차가 너무 크고, 그렇다고 당 사이에 분명한
이념 또는 정책 차이가 있는 것도 아니다. 그저 지역을 기반으로 한 기
득권 정당이라는 성격이 짙다.

그러다 보니 선거철만 되면 항상 '야권 단일화' 문제가 떠오른다. 다수 세력을 가진 쪽, 예를 들어 민주당 지지자들은 민주 세력이 보수 세력에 맞서서 뭉쳐야 하며 그러기 위해서는 힘이 있는 쪽으로 다른 정당들이 힘을 보태줘야 한다고 주장한다. 반면 민주노동당이나 진보신당과 같은 진보 정당에서는 분명한 이념 차이가 있는데 무조건 민주 대 반민주로만 몰고가는 것은 부당하다고 반박한다.

사실 통합이라는 면에서 보수는 진보보다 유리한 조건을 갖추고 있다. 왜? 무식하기 때문이다. 보수 정당에는 철학이나 이념이 없다. 그럴싸하게 포장은 하고 있지만 결국 이들의 철학은 돈과 기득권 수호, 그 이상도 그 이하도 아니다. 그렇기 때문에 보수 진영 안에서는 근본적인 이념 차이라고 할 만한 게 없다.

물론 한나라당 안을 들여다보면 확실한 극우에서부터 보수인지 진보인지 고개가 갸우뚱해지는 인물들까지, 여러 가지 스펙트럼이 뒤섞여 있다. 국민들이 워낙에 역동적이고 사회 변화가 많다 보니 한나라당 역시도 나름대로는 이런 변화를 열심히 쫓아다닌 결과이지, 근본적인 이념 차이를 가지고 있다고 보기는 어렵다. 그래서 선거만 끝나면 손바닥 뒤집듯 공약을 뒤집는다. 그 대표적인 예가 반값 등록금이다. 2007년 대선에서 한나라당이 공약으로 내세워 놓고서는 나중에 이명박은 자기 입으로 말한 적 없다고 잡아떼어 버린다. 공약집에 엄연히 나와 있는 약속조차도 '자기 입'으로 말 안 했다는 어이없는 구실로 아무런 책임의식도 없이 내동댕이쳐 버린다.

한나라당이 잡식성 정당이 되어 버린 데에는 지난 10년 동안 난생 처음 야당 생활을 하면서 얻은 교훈이 한몫하고 있다. 특히 2002년 대선에서는 박근혜가 탈당 뒤에 미래연합을 만들고, 정몽준이 노무현과 단일화를 시도하면서 보수층이 분열된 모습을 보였다. 이렇게 두 차례 대선에서 패배한 보수 세력들이 본능적으로 체득한 것은 '당은 깨지면 안 된다'는 것이었다. 밉고 싫고 짜증나도 그냥 같이 있어야 한다, 분당하면 손해 본다는 인식이 퍼진 것이다. 친이와 친박이라는, 이명박 정권 내내 물과 기름처럼 반목을 거듭한 양대 계파가 그래도 한나라당이라는 한 지붕 아래에서 살 수 있는 이유도 여기에 있다. 친박연대의 경우에는 총선을 앞두고 친박계가 생존을 위해서 급조한 특수한 상황이 있었고, 누구도 그 당이 오래 갈 거라고 생각하지도 않았다.

이런 면에서 본다면 통합에는 진정한 철학이나 이념 따위가 없는 보수가 유리하다. 대중들은 진보 진영에 대해서 뭉치라고 요구하지만 그들은 보수와 같이 무식한 통합은 근본적으로 불가능하다. 무조건 통합을 재촉하는 사람들조차도 진보에게 무식해지라고 요구하지는 않을 것이다. 특히나 민주노동당이나 진보신당 같은 진보 정당에게 철학이나 이념을 포기하라는 것은 당의 목적을 부정하라는 뜻으로 받아들여질 수도 있다. 그렇기 때문에 진보 진영의 통합에는 다른 전략이 필요하다.

만약 2012년 대선에서 진보 진영이 집권하게 된다면 반드시 공동정부 또는 연립정부 구성을 해야 한다고 본다. 세력이 약한 진보 정당에도 어느 정도의 지분을 양보해 주는 아량이 반드시 필요하다는 얘기다. 참여정부는 그야말로 사면초가였다. 보수 진영으로부터는 물론이고 진보 정당으로부터도 공적으로 찍히면서 운신의 폭이 너무 좁아져 버렸다. 진보에게도 외면을 받다 보니 결국은 우왕좌왕하다가 나중에는 자본가 보수의 전략에 그대로 말려들어 버렸다. 이런 쓰라린 과거를 되풀이하지 않기 위해서는 진보 정당의 존재 가치를 인정해 주어야 한다. 이들에게 정부 구성 과정을 통해 활로를 열어 주고, 그에 상응하는 책임 역시도 안겨 줄 필요가 있다. 그래야만 진보 정당도 비판 세력에서 벗어나서 대안 세력으로 자리 잡을 수 있다.

물론 이념과 철학의 차이를 가진 정당들이 함께 정부를 구성하고 운영하는 것은 무척이나 힘든 일이다. 지난한 토론과 협상, 그리고 논쟁이 뒤따를 것이다. 몇 번이고 깨질 위기를 맞이할 것이다. 하지만 이러한 난관을 두려워해서는 안 된다. 우리나라 진보에게는 협상과 논쟁을 통해서 타협해 나가는 경험이 부족하다. 그래서 공동정부 구성을 통해서 타협의 지혜와 경험을 쌓아가야 한다.

다행히 2010년 지방선거를 기점으로 진보 진영 안에서 서로를 인정하고 타협하려는 조심스러운 움직임들이 나타나고 있다. 이러한 노력들이 좀 더 세련되고 정교하게 다듬어져야 한다. 진보가 장기적으로 집권을 하고, 오랫동안 보수의 논리가 지배했던 대한민국에 진보의 플랜을 제대로 구현하기 위해서는 한 정당이나 한 세력이 독점하는 정부가 되어서는 안 된다. 김대중 노무현 정부에서는 국민 화합이라는 이유로 보수 세력과 공존을 모색하기도 했지만 그보다는 먼저 진보 세력 안에서 공존의 규칙을 만들기 위한 노력이 절실하다.

보수는 묻지마 통합이 가능하다, 기득권만 유지된다면. 진보는 무조건 통합이 불가능하다, **대화**와 **타협**을 끌어낼 인내심이 필요하다.

정권 초기,
기선을
제압하라

·
,

우물쭈물하다가는 발목 잡힌다.
정신 차리지 못하게 초반에 몰아붙여야
이기는 게임을 할 수 있는 법.

큰 일이든 작은 일이든 첫 단추를 잘 끼우는 것은 대
단히 중요하다. 옷 하나 입는 일도 단추를 잘못 끼우면 줄줄이 뒤
틀어지는데, 그보다 훨씬 복잡하고 까다로운 정치는 오죽할까.

새로운 정부가 들어섰을 때, 보통 집권 초기에는 무슨 일을 하든 여론은
대체로 우호적이게 마련이다. 새로운 정부, 새로운 대통령이 소신 있게
일할 수 있도록 발목 잡지 말고 일단은 지켜봐야 하지 않겠느냐는 분위
기가 한동안은 유지된다. 노무현 대통령에 대한 국회의 탄핵안이 통과
된 뒤 촛불의 물결이 일고, 새천년민주당에서 분당한 지 얼마 되지도 않
은 허약한 기반의 열린우리당이 총선에서 압승한 이유를 생각해 보자.

물론 대통령 탄핵이라는 초유의 사태를 일으킨 국회 자체가 말도 안 되는 짓을 한 거지만, 정권 초기였다는 시점 역시도 중요한 요소였다. 아직 일도 제대로 못 해 본 정부에 대해 발목 잡기로 일관했던 반대 세력들의 행태가 극한으로 치달은 탄핵 사태를 보면서 참여정부에 그다지 호의적이지 않았던 사람까지도 분노하고 촛불에 동참했다.

보수는 초기 기선 제압이 중요하다는 점을 잘 알고 있다. 그래서 **보수 정권이 들어서면 보통 집권 1년 안에 속전속결로 모든 것을 자기 페이스로 만들려고** 한다. 쿠데타로 정권을 잡은 군사 정권이야 말할 것도 없고, 민주화 이후의 정권도 마찬가지로 초반에 과감한 승부수를 띄워서 주도권을 잡아 왔다.

쿠데타 주동자이긴 했지만 어쨌거나 김영삼 김대중을 선거에서 이긴 노태우를 보자. 집권한 지 1년도 안 돼서 전두환의 친인척들을 각종 비리 혐의로 줄줄이 구속시키고, 연말에는 아예 전두환까지도 백담사로 내쫓아 버렸다. '물태우'라는 세간의 이미지와는 달리 그는 민주화에 이은 5공 청산의 분위기를 타고 전두환 라인을 속전속결로 정리해 버린 것이다. 전두환으로서는 믿었던 친구에게 배신 당했다는 분노가 들끓었겠지만 권력 앞에서 그깟 우정쯤이야.

그 뒤를 이은 김영삼 대통령도 마찬가지였다. 취임 첫해에 스스로 '문민정부'라는 이름을 붙이고 '군정 종식' 슬로건을 내건 김영삼은 군대 내에서 주도권 다툼이 벌어진 분위기를 잘 이용했다. 군인 아파트에 누군가가 하나회 명단이 적혀 있는 전단을 뿌리고 도망간 사건을 계기로 삼아 군대 내 사조직이자 12.12 쿠데타의 주도 세력이었던 하나회를 해체시키고 여기에 소속된 군인들을 강제로 전역시켜 버렸다. 하나회를 뿌리뽑아 버림으로써 김영삼은 군이 더 이상 쿠데타를 모의하거나 정치에 간섭할 수 없게 만들어 버렸다. 이듬해에는 한발 더 나가서 12.12와 5.18에 대한 수사를 통해 전두환과 노태우를 감옥으로 보냈다. 군사 정권의 씨를 말려 버리고 민간이 군의 통제권을 틀어쥘 수 있도록 만든 것이다.

이명박도 집권 초기부터 주도권을 잡기 위해서 파상공세를 펼쳤다. 김대중 노무현 정부를 '잃어버린 10년'이라고 비난하면서 정부 조직은 물론이고 정부 산하 기관과 공기업에까지 자기 사람들을 심기 위해서 온갖 수단을 동원했다. 특히 CEO 출신답게 돈줄을 틀어쥐고 압박하는 수법을 즐겨 썼다. 여기에 쇠고기 시장까지 다 열어주면서 속전속결로 가려고 했던 한미 FTA 추진과 아이들을 무한 경쟁으로 몰아넣는 교육개악까지, 겹치고 겹친 무리수가 결국 촛불을 불러일으켰다.

그러나, 그 놀라운 결집력에도 불구하고 촛불이 이명박 정권의 폭주를 근본적으로 막아 세우지 못한 것은 앞에서도 말했듯이 정권 초기라는 시점이 크게 작용했기 때문이다. 촛불의 물결이 계속되는 한편으로 대중들 사이에는 '집권한 지 얼마나 됐다고 벌써 대통령을 흔들려고 하나, 그만 하면 됐지 않았나?' 라는 정서가 퍼지기 시작한 것이다. 하지만 그 뒤 더욱 노골화된 이명박의 막무가내 식 밀어붙이기 속에서 촛불의 정서는 꺼지지 않고 이어져, 이제는 선거를 통해 보수 정권의 몰락을 가속화시키는 배경으로 살아 숨쉬고 있다.

보수 정권과 비교해볼 때, 김대중 노무현 정부는 단절보다는 화합을 중시했다. 그래서 보수 정권처럼 초기에 파상공세를 통해서 전 정권의 뿌리를 뽑고 주도권을 잡는 방식보다는 과거의 세력과 화해하고, 이들이 개혁에 동참할 수 있는 길을 열어주고 싶어 했다. 하지만 결과적으로 개혁을 좌초시키는 결과만 낳고 말았다. 한마디로 '바랄 걸 바랐어야지.' 였다. 수십 년 동안 기득권에 찌들어서 밥그릇 지키기에만 혈안이 된 보수들에게 무슨 개혁을 바란단 말인가.

노무현 전 대통령의 경우에는 집권 초기에 검찰 개혁만은 꼭 해내려고 했다. 권력의 시녀에서 벗어나서 정치적 독립성을 가진 공정한 수사를 하는 기관으로 체질을 바꾸어 놓기 위해서 검사와 직접 공개 대화 테이

블에 앉아서 격한 공방을 주고받는 것도 마다하지 않았다. 법무부 장관과 검찰총장, 몇몇 수뇌부를 바꾸는 것만으로는 해결되지 않았다. 노 전 대통령은 기득권을 어느 정도 뺏는 대신에 독립성을 주려고 했지만 뿌리부터 기득권에 젖어 있던 검찰은 우린 기득권만 있으면 되지 독립성 따위 필요 없다는 식으로 저항했다. 결국 경찰-검찰 수사권 조정과 공직비리수사처 설치를 끝까지 밀어붙이지 못하면서 검찰 개혁은 좌절되었고, 이명박 정권이 들어서면서 검찰은 전보다 더욱 권력에 봉사하는 청부수사업자로 스스로를 타락시켰다. 노 전 대통령 자신도 퇴임 뒤에 "검경 수사권 조정과 고위공직자비리수사처(공수처) 설치를 밀어붙이지 못한 것이 정말 후회스러웠다."라고 한탄했다. 근본적인 개혁은 그만큼 힘들다는 사실, 그럼에도 불구하고 끝까지 뚝심을 잃지 말고 밀어붙여야 하는 이유를 잘 보여주는 예다.

민주주의는 권력을 세습으로 받는 조선시대나 북한과는 다르다. 세습 권력은 전통과 연속성을 중시하기 때문에 전 정권을 찬양한다. 하지만 선거를 통한 경쟁으로 권력을 잡는 민주주의에서는 다음 정권은 전 정권을 넘어서야 한다. 전 정권의 장점을 물려받긴 하더라도 단점이나 한계점은 물리쳐야 한다. 그래야 정치와 사회가 발전한다. 보수 정권에서 보수 정권으로 넘어가는 과정 속에서도 대대적인 숙청이나 개혁 작업이 이루어졌다. 하물며 정권이 보수에서 진보로 넘어갔을 때라면, 정부

곳곳에 깊이 박혀 있는 보수의 대못을 빼내기 위한 큰 결단과 힘이 필요하다.

그래서 다음 대선에서 진보 진영이 집권을 한다는 가정을 한다면, 무리를 하더라도 초반에 승부를 내야 한다고 본다. 시간이 지나면 지날수록 사소한 변화 하나조차도 힘들어진다. 물론 초반에 기선 제압을 하려 들다 보면 보수 세력의 반발이나 조중동을 위시한 보수 언론의 악선동이 치열하게 벌어질 것이다. 그래도 멈춰서는 안 된다. 정권 초기에 여론이 우호적일 때 최대한 과감한 전략으로 구태에 젖은 세력들을 청산하고 주도권을 틀어쥐어야 한다. 그래야만 기득권 세력에게 끌려 다니지 않고 제대로 개혁할 수 있다.

연구 Point

첫 끗발이 개 끗발이라는 말은 새빨간 거짓말! 정권 교체 후 **1년 안에 확실히** 기선 제압하라.

보수의
위기탈출
비법

.
,

위기탈출 넘버원의 원조는 보수가 아닐까?
과연 우리의 보수 넘버원 씨는 어떻게 위기를 탈출하는지 살펴보자.

누구에게나 위기는 온다. 잘 나갈 때야 쉽다. 하지만 위기가 왔을 때 이를 어떻게 관리하고 탈출하는가, 이게 중요하다. 오랫동안 정권을 손에 쥐고 있었던 보수는 위기관리라는 측면에서는 나름대로 쌓아온 노하우가 있다. 그 방법이 더럽고 치사한 게 문제이긴 하지만.

보수 정권이 위기에 빠질 만한 스캔들에 휘말리거나 여권이 중대한 도덕적 타격을 입을 만한 상황이 되면 언제나 동원되는 수법이 국면 전환이다. 곧, 뭔가 새로운 사건을 터뜨려서 사람들의 관심을 그쪽으로 돌려놓는 것이다. 이런 국면 전환을 위해서 가장 손쉽게 활용되는 방법이 수사기관을 동원해서 뭔가 다른 사건을 이슈화 하는 것이다.

박정희 정권 시절에 가장 손쉽게 활용되던 방법이 간첩단 사건이었다. 물론 모든 간첩단 사건이 다 조작된 것은 아닐 것이다. 하지만 억울한 누명을 쓰고 자신은 물론 가족들의 삶까지 철저하게 망가지고 수십 년이 지나서야 무죄 판결을 받는 사람들이 줄줄이 나오는 광경을 우리는 계속해서 목격하고 있다. 한마디로 그들은 희생양이었다.

또 단골로 등장하는 게 연예인에 관련된 수사다. 영화배우 김부선 씨가 "정치인들이 잘못할 때마다, 정권이 바뀔 때마다, 국민여론 호도용으로 일부러 연예인 마약 사건을 하나씩 던져준다" 라고 말했던 것처럼 연예인이나 방송사에 관련된 비리 수사, 마약 수사가 터지는 시기는 묘하게 정치권의 스캔들과 겹치곤 한다.

가끔은 몇 해 전에 벌어졌던 비리가 갑자기 수사 대상이 되는 일도 있다. 2008년 8월에 연예계를 뒤집어놨던 PD 금품 수수 사건은 그 수사 대상이 2004년에 있었던 일이다. 4년 전에 있었던 일이 난데없이 불거지는 것은 두 가지 경우, 누가 양심선언을 했거나 예전에 쥐고 있던 사건을 적당한 타이밍에 터뜨리거나, 둘 중에 하나다.

어떤 식으로든 뭔가 작은 꼬투리라도 딱 걸리게 되면 연예인에 대한 사람들의 관심 덕분에 사건은 일파만파가 된다. 이렇게 되면 예전 이슈들을 다 덮어 버리고 먹어 버린다. 세금 문제로 연예계 잠정 은퇴까지 선언한 강호동에게 적용된 것과 비슷한 잣대가 이명박 정권의 인사에 적용되었다면 남아날 사람이 있었을까? 도덕성으로 말하자면 연예인보다 정치권이 더 철저해야 옳을 텐데, 지금은 반대가 되어 있다.

강호동의 경우에는 탈세라기보다는 과소납부의 문제였다. 활동 과정에서 돈을 쓴 것에 대해서 비용으로 인정이 되느냐 안 되느냐의 문제였던 셈이다. 사업자나 프리랜서들이라면 세무서에서 비용 인정을 안 해 주거나 해서 과소납부로 과태료나 추가 세금을 통보 받고 시비를 가리기 위해서 법정공방까지 가는 경우는 비일비재하다. 하지만 언론에 '강호동 탈세'라고 일단 헤드라인이 나가버리면 시시비비를 가릴 기회는 멀리 날아가 버린다.

게다가 연예인 관련 수사는 뭔 이유에선지 서둘러 피의 사실을 공개해 버리는 경우가 많다. 한술 더 떠서 확인도 안 된 사실까지 언론에다가 슬슬 흘린다. 오죽하면 마약 관련 수사가 있을 때마다 언론에 이름이 흘러나오던 가수 구준엽이 억울함을 못 참고 기자회견까지 했을까? 2009년 5월에 가진 기자회견에서 그는 "대한민국 국민의 한 사람으로서 제 인권을 보호받고 싶습니다."라고 항변했다.

보수가 위기를 탈출하는 또 한 가지 주요한 방법은 정권 장악 초기에 언론을 틀어쥐는 것이다. 박정희 정권 초기에는 경향신문 발행인 이준구에게 간첩 누명을 씌워 신문사를 강탈했고, 민족일보를 '용공'으로 몰아 신문을 폐간하고 발행인 조용수에 대한 사법 살인을 저질렀다. 조용수는 2008년에 가서야 무죄 판결로 누명을 벗을 수 있었지만 이미 죽은 사람이 다시 돌아올 수는 없는 일이다. 박정희 정권이 본격적인 독재체제로 거듭난 유신체제 출범 시기에는 동아일보 광고 탄압에 이어서 동아, 조선 두 신문 기자들에 대한 대량해직 사태가 벌어졌다.

전두환도 정권 초기에 언론을 조종하기 위해서 언론통폐합을 밀고 나갔다. 삼성그룹으로부터 TBC를 빼앗아서 KBS에 통폐합했고 동아방송 역시도 KBS에 넘어갔다. 그밖에도 신문과 통신사에 이르기까지 광범위한 작업이 이루어졌다. 덕분에 당시 방송사들은 '땡전뉴스'라는, 정권의 나팔수 구실을 충실하게 이행했다.

민주화 이후에는 좀 더 교묘하게 언론 장악이 이루어진다. 김영삼은 퇴임 뒤에야 언론사 세무조사를 한 일이 있다는 사실을 밝혔다. 그는 언론의 비위사실이 "언론들에 대한 존경심이 무너지고 국민들이 허탈해 할 상황이었다"면서 언론사의 장래를 위해 공개를 하지 않기로 결정했고, 적당한 수준에서 추징금을 받고 끝내라고 지시했다고 밝혔다.

왜 그랬을까? 김영삼이 착해서? 에이, 당연히 아니다. 권력이 발휘할
수 있는 가장 높은 수준의 힘, 곧 죄를 감싸주고 덮어주면서 한편으로
는 수틀리면 언제든지 터뜨릴 수 있다고 협박하는 수단으로 써먹은 것이
다. 김대중 정부에서도 조중동에 대한 세무조사를 벌였지만 이는 드
러내 놓고 진행되었다. 그리고 탈세 혐의 과정에서는 조중동의 격렬한
저항을 받아야 했다. 그와 비교하면 김영삼의 수법은 단수 높은 꼼수였
던 것이다.

이명박의 언론 장악 음모는 더 말할 것도 없다. 자신의 측근들에게 낙하
산을 하나씩 안겨 주고 줄줄이 방송사 사장으로 투하시켰다. KBS의 김
인규, YTN의 구본홍은 이명박의 언론특보 출신이다. 반대로 정권의 뜻
을 충실하게 실천한 언론인을 측근으로 끌어들이기도 한다. 청와대 홍
보수석을 지낸 홍상표가 그 좋은 예다. 그는 YTN 돌발영상 '마이너리티
리포트'편 방송을 틀어막은 장본인이며 그 때문에 노조로부터 퇴진 요
구를 받았다. 구본홍이 노조의 끈질긴 반대 투쟁 끝에 결국 사퇴한 뒤,
YTN 내부 인사로서 정권의 장악 음모에 적극 협력했다.

이명박 정권의 언론 길들이기는 돈을 통해서도 이루어졌다. 자신의 편
에 선 언론에게는 정부 기관 또는 공기업의 광고나 캠페인을 듬뿍 밀어
주고, 반대로 비판적인 언론에는 광고를 안 주는 식으로 돈줄이 마르게

하는 수법을 썼다. 이렇게 되어 결국 회사 경영난을 구실로 경영진을 날려버리고 입맛에 맞는 사람들을 앉힐 수 있었다. MBC 사장 엄기영에 대한 사퇴 압박에도 이런 방식이 동원되었다.

이렇게 정권 초기에 언론을 틀어쥐면 정권의 위기상황이 발생했을 때, 이에 대한 보도를 제대로 못 하게 하고 사람들을 현혹시킬 수 있게 된다. 그 첫 번째 방법은 사실조차 제대로 전달하지 않거나 축소시켜 넘어가버리는 경우다. 1983년의 일이다. 당시 가택연금 상태에 있었던 김영삼이 민주화 요구를 하면서 단식투쟁에 들어간 그날, 신문 1면 톱기사의 주인공은 김영삼이 아니라 반달곰 밀렵 사건이었다. 신문을 보고 김영삼은 "내가 반달곰만도 못 하냐!" 하고 화를 냈다고 한다.

언론이 사람들을 현혹시키는 두 번째 방법은 사실을 전달하더라도 교묘하게 시시비비를 가리지 못 하도록 만드는 것이다. 이럴 때 등장하는 게 객관성 혹은 중립성이라는 기준이다. 예를 들어서, 청와대나 한나라당이 연루된 비리가 터졌을 때에는 항상 중립 보도라는 명목 아래 마지막 부분에 한나라당이나 청와대의 변명 또는 반박을 보여주고 마무리를 짓는 식이다. 이렇게 되다 보면 뉴스를 보는 사람들은 사실이 아니라 의혹 또는 정치공세라고 착각하기 쉬워진다.

지금까지 보수 정권들은 자신의 부도덕하고 추악한 면이 드러났을 때
솔직한 반성과 책임지는 자세를 보이기보다는 다양한 꼼수와 국면 전
환을 통해서 덮고 넘어가는 방식으로 위기를 모면해 왔다. 이런 꼼수의
저변에는, '국민들은 잘 속고 쉽게 잊어버린다'는, 보수의 인식과 경험
이 깔려 있다.

검찰, 경찰, 언론 등을 통해 새로운 이슈를 던져
불리한 스캔들을 덮어버리는 **위기탈출 능력은 보수가
넘버원**이다. 그들은 권력을 가진 자가 누리는
당연한 무기라고 생각하는 듯하다.

보수가 '뼛속까지 친일 친미'일 수 없는 이유

；

보수 정권의 외교를 논하게 될 경우,
친일이나 친미라는 말로는 다 설명이 되지 않는다.
친일, 친미, 무엇을 상상하든 그 이상이다.

〈위키리크스〉에 따르면 2008년 이명박의 형 이상
득이 알렉산더 버시바우 당시 주한 미 대사를 만나
서 이런 말을 했다고 한다. "이명박 대통령은 뼛속까지 친미,
친일이니 그의 시각에 대해선 의심할 필요가 없다." "이대통령은 친중
국 성향이 아니기 때문에 미국이 신경쓰지 않아도 된다." 이런 이명박
을 두고 미국의 외교관들은 "우리(미국)와 함께 헌신적으로 일하는 강한
친미주의자", "사실상 모든 주요 문제에 대해서 미국을 지원하는 성향"
이라는 평가로 화답했다.

대한민국 보수의 뿌리가 일제강점기 친일파에 근원을 두고 있다는 말

은 이제는 잔소리에 가까울 정도로 당연하게 여긴다. 해방 이후 친일파 들이 재빠르게 미 군정과 결탁하면서 계속해서 기득권을 차지하고, 거 꾸로 조국의 광복을 위해서 싸웠던 독립투사들이 소외 당하게 된 기막 힌 역사는 여전히 청산되지 못한 현재 진행형이다.

그렇다면 만약 한반도에 미국의 영향력이 크게 떨어지고, 반대로 중국 의 영향력이 미국을 넘어설 정도로 강력해진다면 어떤 현상이 벌어질 까? 그 때에도 보수는 과연 뼛속까지 친미일 수 있을까? 답은 '아니 다'이다. 그 때가 되면 골격 이식 수술을 해서라도 친중으로 돌변할 사 람들이 바로 보수다. 대한민국 보수는 알고 보면 '주의'는 따지지 않는 다. 누가 가장 힘이 센가, 누구에게 붙어야 자신들의 기득권이 유지될 수 있는가, 그것만이 가장 중요하다.

김대중 노무현 정부의 외교 정책을 생각해 보자. 이들 정부는 기본적 으로 거리 두기를 주요한 전략으로 삼았다. 다시 말해서 어느 한 나라 에 완전히 의존하기보다는 한반도 주위의 모든 강대국들과 일정한 거 리를 두고 적당히 밀고 당기는, 그래서 이러한 거리 속에서 최대한 이 득을 보자는 게 기본적인 정책이었다. 하지만 이명박 정권은 이러한 자 주성은 포기했다.

생각해 보면 지금까지 대한민국 보수는 한 번도 '자주'를 주장한 적이 없다. 오히려 자주가 친북이 되는 이상한 현실이었다. 그럴 수밖에 없다. 언제나 외세를 자신들의 힘으로 삼아온 보수에게 '자주'라는 말은 콤플렉스일 테니까. 우리나라 빼고는 어느 나라에서든 보수가 앞장서서 민족을 외치고 자주를 외친다. 보수의 입장에서 보면 자주를 외치지 않자니 자신들이 알맹이가 텅 빈 가짜 보수라는 것을 증명하는 꼴이 되고, 외치자니 외세에 밉보일 게 뻔하다.

그래서 대한민국의 보수들은 꼼수를 부렸다. 자주란 말을 아예 친북과 동의어로 만들어 버린 것이다. 물론 북한에서도 자주를 외친다. 북한의 관점에서 본다면 그 사람들이 보수다. 분명 외세와도 북한과도 독립된 자주는 존재할 수 있다. 그러나 외세로부터 독립해서는 기득권 유지를 할 수 없는 이 나라의 보수는 그런 가능성을 아예 지워버렸다.

영원불멸의 절대 강국일 것이라고 생각했던 미국의 영향력이 떨어질 것이라는 전망은 요즘 들어서 점점 널리 퍼지고 있다. 특히 미국이 금융위기의 늪에 빠진 뒤로는 이러한 시각은 더욱 힘을 얻고 있다. 이미 2010년 G20 서울정상회담 때, 워싱턴포스트는 "1년 전만 하더라도 각국 정상들은 버락 오바마 미 대통령의 환심을 사기 위해 경쟁적으로 달려들었다. 하지만 이번에는 아무도 오바마의 근심거리를 해결해주기 위해 도

우려 하지 않았다. 이것이 현실이다.” 라고 한탄했다. 이러한 상황이 계속된다면 중국이 미국을 넘어서서 한반도에 경제와 군사력으로도 가장 강력한 영향력을 가진 나라로 올라설 가능성은 충분히 있다.

이런 상황에서 누가 가장 먼저 중국에게 붙을까? 답은 보수다. 오히려 자주성을 강조하는 진보 진영은 중국 역시 외세라는 측면에서 일정한 거리를 두려고 할 확률이 높다. 하지만 보수는 기득권 유지를 위해서 미련 없이 중국으로 말을 바꿔 탈 태세가 되어 있다. ‘실용’이라는 평계는 어디에나 갖다 붙일 수 있다.

그렇다면 북한과는 어떤가? 보수 정권은 겉으로는 멸공을 외치면서 뒤로는 여러 가지 채널로 북한과 비밀 접촉을 계속해 왔다. 입으로는 북한은 말을 섞는 것조차도 혐오스러운 철천지원수인 것처럼 떠들고, 마치 전쟁조차도 마다하지 않을 것처럼 목소리를 높인다. 하지만 뒤로는 만날 사람은 다 만났다. 최초의 남북정상회담은 보수 정권인 김영삼 때에 이뤄질 뻔했다가 김일성이 죽는 바람에 실패로 돌아갔다는 사실을 기억하자.

때로는 북한에 구걸까지 하는 경우도 있다. 1997년에 터진 이른바 ‘총풍 사건’이 그 대표 격이다. 대통령 선거를 앞두고 이회창 후보의 측근들이 북한 인사들과 만나서 휴전선에서 무력시위를 해달라고 요청한 것이다. 안보를 가장 중요하게 여긴다는 보수들이 북한에게 돈을 주고 우리 군인을 향해서 총질을 하라고 구걸한 것이다. 아무리 진짜 사람에게 쏘는 게 아니고 무력시위라고 해도 상식적으로 있을 수 있는 얘기일까?

이명박 정권 역시도 구걸 스캔들에 휘말렸다. 2011년 6월, 북한 조선중앙방송은 이명박 정부가 세 차례나 정상회담을 열자고 제안했다고 폭로했다. 게다가 정상회담 성사를 위해서 천안함 사건에 대해서 '절충안'을 발표해 달라고 요청했다는 주장까지 내세웠다. "북측에서 볼 때는 사과가 아니지만, 남측에서 볼 때는 사과처럼 보이는 안을 발표하자"라고 제안했다는 게 북한의 주장이다. 심지어 돈 봉투까지 건네려고 했다는 북한의 발표 때문에 보수 진영은 발칵 뒤집어졌다.

물론 이명박 정부는 펄펄 뛰었지만 접촉이나 제안 사실 자체를 부정하지는 못했다. 그저 북한이 "진의를 왜곡"했다고 말할 수밖에 없었다. 이런 어설픈 변명은 심지어 한나라당 의원들한테까지도 믿음을 주지 못했다. 친박계 의원 구상찬은 국회 대정부질문에서 "북한의 발표를 보며 정부에 속았다는 느낌을 지울 수 없다. 정상회담을 구걸했고 한술 더 떠 돈 봉투까지 건넸다 망신을 당했다. 이명박 정부는 천안함 사과 등 진정성 없이 남북간 정상회담은 하지 않겠다고 누누이 말해왔다. 그런데 어떻게 된 거냐?"라고 정부를 맹렬하게 비난했다. 정부의 변명은 북한에 구걸할 때만큼이나 구차했다. 김황식 총리는 야당이 돈봉투 파문에 대해서 비판의 목소리를 높이자 "그런 얘기를 들으면 북한이 즐거워할 것"이라는 식으로 엉뚱하게 얼버무리기에 바빴다.

보수는 때에 따라서 북한과도 붙어먹을 수 있다는 사실을 이해하기 위해서 이 정도 보기만으로는 부족할까? 사례들을 모아보면 책 한 권은 나올 것이다. 아참, 이명박 정부가 임기 절반인 2010년 6월까지 북한에 보낸 돈이 7억 6천 5백만 달러라는 것도 기억해 두자. 퍼주기라고 비난 했던 참여정부 임기 5년 동안 북한에 전달된 14억 1천만 달러의 절반이 넘는 액수다. 노무현이 준 돈으로는 핵무기 만들 거라더니, 이명박이 준 돈으로는 핵무기를 못 만들게 할, 무슨 특별한 장치라도 있나?

멸공, 반공은 그냥 무지몽매 보수들을 최면에 빠뜨리기 위한 주문에 불과하다. 북한이 없으면 보수도 설 자리를 잃는다. 북한은 보수가 외세에 철저하게 기대는 것을 정당화 시켜 주고 자주 국방을 주장하는 사람들을 공격하는 아주 편리한 수단이다. 보수에게는 이런 북한이 없으면 큰 일이다. 그렇기 때문에 앞에서는 멸공을 외치면서 뒤로는 북한 체제 유지를 위해서 돈을 푼다.

결론적으로, "이명박 대통령은 뼛속까지 친일, 친미"라는 이상득의 말은 뻥이다. 대한민국의 보수에게는 뼛속까지 친일, 친미 같은 것은 존재하지 않는다. 왜냐고? 보수에게는 뼈가 없기 때문이다. 뼈가 없기 때문에 혼자서는 절대로 서지도 못하고, 외세에 기대야만 설 수 있을 뿐이다. 그게 일본인지, 미국인지, 중국인지는 별로 중요하지 않다. 민주주의일 필요도 없다. 일제강점기 시대에 일본이 민주주의였나? 아무튼 한반도에 가장 강력한 영향력을 주는 나라이기만 하면 된다.

보수가 친일, 친미인 것만은 분명하다.
다만, 일본이 여전히 우리보다 잘 살고, 미국이 여전히
세계 최강의 영향력을 유지할 수만 있다면.
보수에게 **영원한 친구란 없는 법**이니까.

김종훈은
어떻게
노무현을
속였는가

.

,

어떻게 자기를 믿어준 대통령까지 속이고
친미할 수 있을까?

'노무현의 사람'이라면 무슨 수를 써서라도 밥줄을
끊고 내보냈던 이명박 정권에서, 당당하게 살아남아
서 지금까지 자리를 지킨 사람이 있다. 바로 통상교섭본
부장 김종훈이다. 참여정부 시대에 한-칠레 FTA, 한미 FTA를 주도했
던 김종훈은 이명박 정권에서도 FTA의 전도사로서 한미 FTA 재협상
에 나섰다.

미국이 쌀을 걸고 나오면 협상을 깨라

그런데 〈위키리크스〉에서 중요한 사실 하나를 터뜨렸다. 〈위키리크스〉
가 공개한 외교 전문에 따르면 2007년 8월 29일, 그러니까 한미 양국
이 FTA에 서명한 지 두 달 정도 되는 시기에 김종훈은 얼 포머로이 미
국 하원의원, 알렉산더 버시바우 주한 미국대사와 만나 쌀 추가 협상을
약속했다. 당시 노 대통령은 "미국이 쌀을 걸고 나오면 협상을 깨라"고
강경하게 주문했고, 그래서 서명 당시 FTA에는 쌀이 제외되어 있었다.

이 자리에서 캘리포니아의 곡물업자들이 반발하고 있다는 포머로이의
불평에 김종훈은 "한국 정치권은 농민을 '사회적 약자'로 보고 강한 보
호주의 정책을 펼치고 있어 현재로서는 쌀 문제를 다룰 수 없다…… 그
러나 세계무역기구의 쌀 관세화 유예가 2014년에 끝나면 한국 정부가
(미국과) 재논의 할 것"이라고 말한 것이다. 결국 노무현에게 거짓말을
한 것이다.

그 뿐만이 아니다. 노무현은 개성공단 생산 제품을 한국산으로 인정해
서 FTA 대상에 포함될 수 있도록 협상 초기부터 이 문제를 타결 짓도록
지시했지만 김종훈은 멋대로 맨 마지막까지 미뤄버렸다. 역시 〈위키리
크스〉가 공개한 미국의 외교 전문을 보자. 2006년 6월 11일에 조태용

외교부 북미국장은 미국 관료를 만난 자리에서 "한-미 FTA 협상에 개성공단을 포함시킬 것인지 여부가 또 하나의 관심사"라는 질문에 "김종훈 대표가 '정치적인 문제는 마지막으로 남겨두겠다'고 말하더라" 라고 대답했다. 결국 이 역시 노무현을 속인 것이다.

이 문제는 대단히 중요하다. 사실 노무현이 한미 FTA를 추진한 중요한 이유가 바로 개성공단이었기 때문이었다. 개성공단에서 생산된 제품이 한국산으로 인정받아서 미국에 손쉽게 수출된다면 개성공단의 경제적 가치는 급상승할 것이고, 많은 기업들이 관심을 가져서 활발한 투자가 이루어질 것이다. 그렇게 되면 북한을 경제 개방으로 끌고 나오는 데 훨씬 유리한 분위기가 조성된다. 그렇기 때문에 노무현은 국내 산업이 겪을 피해를 어느 정도 감수하고서라도 한미 FTA를 추진하려고 했다.

그런데 협상대표 김종훈은 노무현을 속이고 한미 FTA의 진정한 의미를 휴지조각으로 만들어 버린 셈이다. 그나마도 이명박 정부에 들어와서는 참여정부 때보다 더 한국에 불리하고 미국에 유리한 방향으로 변질시켰다. 바로 그 김종훈이 여전히 협상대표다. 이명박 정부가 이제 와서 '노무현이 추진한 FTA' 어쩌고저쩌고 하는 것은 어불성설이다.

그런데 어떻게 대통령까지도 속이는 일이 있을 수 있을까? 이것은 관료

사회가 가진 지독한 보수 성향 때문이다. **대한민국의 고위 관료들에게**
는 '권력은 결국은 보수의 것'이라는 의식이 뿌리 깊게 자리하고 있다.
흔히들 공무원은 '영혼이 없는 사람들'이라고 하지만 고위직 공무원들
이야말로 뼛속까지 보수다. 사실 공무원의 정서에는 보수가 더 맞다. 대
중들은 공무원을 '철밥통'이라고 비난하면서도, 한편으로는 공무원이
야말로 IMF가 오든 금융위기가 오든 구조조정 당할 걱정이 없는 가장
안정된 자리라고 생각하고 공무원이 되고 싶어 한다. 이들은 변화를 싫
어하고 자기 자리를 보전하는 데에만 관심이 있다. 그렇기 때문에 설령
정권이 진보 진영 쪽으로 넘어간다고 해도 이들은 별로 달라지지 않는
다. 겉으로는 대통령의 말을 듣는 척하면서 뒤로는 온갖 꼼수를 부려서
보수의 이익을 충실하게 챙긴다.

숭미 사대주의에 찌든 외교부

외교 부서는 더 심각하다. 그들의 미국 편향은 어제 오늘의 얘기가 아니
다. 외교부에서 출세하려면 반드시 북미국을 거쳐야 한다. 한 통계에 따
르면 외무부 장차관의 3분의 2가 북미외교라인 출신이고, 나머지 3분의
1은 일본외교라인 쪽에서 나왔다. 이런 상황이니 '친미연대'나 '숭미 마
피아'라는 얘기를 들을 정도로 외교부의 미국 편향은 심각한 수준이다.

지금은 유엔 사무총장을 맡고 있는 반기문도 미국의 이익을 위해서 노무현을 속인 일이 있었다. 용산기지 이전을 놓고 미국과 협상을 벌이던 당시 외교부 협상팀은 노무현과 국가안전보장회의(NSC)를 배제시켜 버렸다. 청와대 민정수석실에서 2003년 11월 18일에 작성한 '용산기지 이전 협상평가 결과보고'에는 이 협상팀이 어떤 방침을 가지고 있었는가에 대해 다음과 같이 담겨 있었다.

- 대통령은 반미주의자이므로 협상개입을 최소화시킨다.
- 용산기지 이전은 미국이 원하는 대로 얼마의 돈이 들든지 추진해야 한다.
- 국회와 국민들이 문제 삼지 않는 수준에서 합의의 형식으로 문자의 표현을 바꾸는 것을 협상의 목표로 한다.

도대체 이거 어느 나라 협상팀의 방침인가? 한미 양국 모두가 한마음으로 미국의 이익을 챙기고 있는데 이게 무슨 협상이겠는가? 그냥 일방통행이다.

결국 참여정부가 처음에는 자주 외교를 표방했지만 갈수록 이라크 파병과 한미 FTA를 비롯한 주요한 외교 문제를 겪으면서 점점 미국 쪽으로 기울어지는 모습을 보인 것도, 숭미 사대주의에 찌든 외교부를 떼어 놓고는 생각할 수가 없다. 심지어 대통령까지도 속이고 미국의 이익에만 충실했으니, 오죽하면 참여정부 시절에 한미 FTA에 적극적이었던 정동영이 이제는 김종훈에게 "제2의 이완용"이라고 부르짖고 있겠는가?

대통령은 권력의 정점이다. 장관은 그 핵심 브레인이다. 그리고 핵심 관료들은 팔다리라고 할 수 있다. 대통령의 뜻이 실제로 반영되려면 머리만 진보여서는 아무 소용이 없다. 머리가 원하는 바를 실천하는 부분은 팔다리인데 이 팔다리가 머리에서 내리는 지시를 안 듣고 제멋대로 움직인다면 어떤 결과가 나올지는 뻔한 것이다. 나중에 가면 팔다리가 머리를 조종하는 꼴이 되어 버린다.

행정부의 지지 기반이 약했던 김대중 노무현 정부는 공무원 사회를 끌어안으려고 했다. 그래서 관료들에게 자율성을 보장해 주면서 개혁에 동참하기를 바랐다. 하지만 이것은 결국 큰 실책이었다. 정권은 기본적으로 보수의 것이라는 생각이 뿌리 깊이 박혀 있는 세력들이 과연 대통령의 말을 들었겠는가? 어림없는 소리다. 오히려 그들은 주어진 자율성을 보수를 위해서 봉사하는 데 악용했다.

따라서 진보 진영이 집권하게 된다면 공무원 사회를 제대로 개혁하고 수술해서 정부의 머리가 생각한 내용이 제대로 실천될 수 있도록 만들어야 한다. 젊고 유능한, 그리고 혁신적인 사람들이 발탁될 수 있는 구조를 만들어야 한다. 그렇지 못하면 보수 관료들에게 또다시 끌려 다니면서 '좌측 깜빡이를 켜고 우회전 하는' 예전의 실책을 되풀이할 수밖에 없다. 개혁의 최대의 적은 보수 정당이 아니다. 그들은 선거 때문에 그래도 가끔은 국민들의 눈치를 보는 척이라도 한다. 탄탄한 철밥통을 갑옷처럼 두른 보수 관료들이야 말로 개혁의 최대 걸림돌이라는 사실을 반드시 기억해야만 한다.

고급 **관료**들은 뼛속까지 **보수**다.

보수를
위해서라면
하나님도
팝니다

;

보수 정권과 개신교 대형 교회는
서로의 안위와 성장을 위해서는 뭐든지 팔았다.

이명박 정부 중반에 들어서 '동반성장'이라는 말이
자주 나왔다. 대통령은 동반성장을 내세워서 대기업 총수들을 들
들 볶고, 동반성장위원회가 만들어지고, 초과이익공유제라는 얘기까지
나오고 있었다. 이런 (악어의) 눈물겨운 노력에도 불구하고 사람들은 여
전히 대기업과 중소기업의 동반성장은 머나먼 얘기라고 생각한다. 대기
업 총수들은 기득권을 옹호해 줘야 할 보수 정권이 여론의 환심을 사기
위한 포퓰리즘으로 자기들만 괜히 들들 볶는다고 투덜거린다.

그런데 보수 정권은 나름대로 오랜 동반성장의 역사를 지니고 있다. 바
로 개신교 교회다. 대한민국의 보수 정권과 개신교는 서로 밀어주고 당

겨주면서 함께 성장해 왔고, 나라를 장악해 왔다. 대통령만 해도 장로 타이틀을 가진 사람이 셋이나 된다. 초대 대통령 이승만(정동제일감리교회), 14대 대통령 김영삼(충현교회), 그리고 17대 대통령 이명박(소망교회)까지다.

보수와 교회는 어떻게 이런 관계를 가지게 되었나? 양쪽 다 그 뿌리가 친일, 친미와 관계있다는 사실을 눈여겨볼 필요가 있다. 물론 모든 개신교 지도자들이 모두 친일로 기운 것도 아니고, 개신교만이 친일로 기운 종교는 아니었다. 많은 개신교 인사들이 독립운동에 헌신하기도 했다. 하지만 친일인명사전에서도 종교 관련 인사들 가운데 개신교가 58명으로 가장 많은 이름을 올린 것처럼 서북 지역을 중심으로 한 개신교 세력은 결국 "신사참배는 종교 행사가 아닌 국가 행사"라는 구차한 변명과 함께 친일로 돌아섰다.

해방 이후 남북에 각각 미국과 소련이 들어오고, 남한에 미 군정이 시작되면서 장로 출신 이승만이 주도권을 잡았다. 이는 개신교가 한국 사회의 주류로 발돋움하는 것을 뜻했다. 친일파들이 미국에 붙어서 자신들의 기득권을 유지했던 것처럼 개신교 역시도 똑같은 길을 걸었다. 그리고 반공을 내걸었다. 정치적 반대파를 좌익으로 몰아서 온갖 테러를 일삼았던 서북청년단이라는 이름이 괜히 나온 게 아니다. 이 단체는 일제강점기에 앞장서서 신사참배를 비롯한 친일행각을 벌였던 서북 출신 개신교가 주도하고 있었다.

그러나 4.19 혁명으로 이승만 정권이 쫓겨난 다음 개신교는 침체기에 빠졌다. 하지만 개신교에게 다시 절호의 찬스가 왔다. 박정희의 5.16 쿠데타였다. 박정희는 개신교 신자는 아니었다. 하지만 당시 미국은 박정희가 남로당에 가담한 전력을 들어서 그를 믿을 수 없다는 반응을 보였다. 이 때 구원의 손길을 뻗친 이가 바로 한경직과 김활란이었다(이 사람들이야말로 이상득의 말마따나 '뼛속까지 친일 친미'였다).

두 사람은 미국으로까지 건너가서 미국 정부 인사들을 설득했다. 쿠데타는 정당했으며 하나님의 이름을 걸고 우리가 보증할 테니 박정희를 믿으라는 것이었다. 이렇게 미국을 안심시켜 준 공을 어찌 잊을 수 있겠는가? 덕분에 박정희 정권과 개신교는 확실한 동반자 관계를 맺게 된 것이다.

박정희 시대에 개신교는 그야말로 폭발적 성장을 거듭했다. 개신교 인구 비율은 1960년에서 1970년까지 10년간 약 500% 증가해 300만 명을 넘어섰고, 1977년에는 500만 명을 넘었다. 이 당시 경제발전 과정에서 종교, 특히 개신교는 독재자의 목적에 충실하게 봉사했다. 삼국시대 혹은 고려시대 때 나라에서 호국불교를 앞장서서 퍼뜨린 것과 비슷한 맥락이다. 장시간 중노동에 시달리면서 빈부격차는 점점 심각해지고 인권이나 노동자의 권리는 철저하게 탄압 받던 시절, 종교는 이들의 고통과 분노가 정권과 자본가에 대한 위협으로 번지지 않도록 막아주는 방패 구실을 톡톡히 해냈다.

독재자와 협력하면서 재벌이 급속도로 몸집을 불린 것처럼, 교회 역시도 성장 가도를 달렸다. 이들은 자본가의 논리를 그대로 퍼뜨렸다. 재물을 모으는 것은 하나님의 복이니까 질투하지 말지어다, 그리고 교회 열심히 다니고 헌금 열심히 하면, 전도 많이 해서 새 신자(신규 고객?)를 많이 데려오면, 너희들도 복 받고 부자가 될 것이다, 라는 식이었다(어쩐지 얘기해 놓고 보니까 다단계와 비슷한 느낌도 드는데……).

서로 몸집 불리기 경쟁을 하던 재벌들마냥 교회도 몸집 불리기에 열을 올렸다. 하나님의 말씀을 팔아서 신도와 돈을 얻었다. 더 많은 신도, 더 많은 헌금, 그래서 더 큰 교회를 짓는 게 목표가 되었다. 물론 모든 개신교가 이런 길을 걸었던 것은 아니다. 독재 권력과 결탁해서 이들을 정당화 시키는 논리를 퍼뜨리는 대형 교회를 비판한 개신교인들도 있었다. 그러나 그들이 김재준, 김관석과 같은 양심적인 목사들을 가만 놔둘리가 없었다. 용공세력으로 몰아서 감옥에 가두고 철저하게 탄압했다.

돈과 권력의 맛을 제대로 들인 대형 교회들은 박정희 시대 이후에도 계속해서 보수 진영과 결탁해서 정권을 창출하고, 이를 통해 이익을 얻는 구조를 만들어 갔다. 5.18 석 달 뒤인 1980년 8월 6일, 개신교계는 롯데호텔에서 조찬기도회를 열었다. 그 제목은 "전두환 국보위 상임위원장을 위한 조찬기도회"였다. 학살의 장본인으로 지목받은 전두환을 롯데호텔에 불러 그의 안녕을 기원한 것이다. 이 날은 전두환이 5.18 학살의 '공로'로 대장 진급을 한 날이다. 이 기도회에도 또 한경직 목사가 등장한다. 정권이 바뀔 때마다 곧바로 달라붙어서 자신들의 기득권을 챙기려는, 귀신같은 생존본능이 발동한 셈이다.

민주화 이후에는 아예 노골적으로 장로 대통령 만들기에 나섰다. "청와대에 찬송과 기도 소리가 울려 퍼지게 하자"는 구호를 외치던 대형 교회들은 두 명의 장로 대통령, 김영삼과 이명박을 만들었다. 그리고 이들은 같은 교회의 신도들을 줄줄이 권력의 중심으로 발탁시킴으로써 그 은혜에 보답했다. 특히 이명박은 '고소영 라인'이라는 별명처럼 소망교회 라인을 대거 핵심으로 끌어들였다.

장로 대통령 중에서도 특히 이명박은 서울시장 때부터 아주 적극적으로 교회를 활용했다. 한나라당 안에 정치적 기반이 부족했던 그로서는 교회의 마음을 사로잡는 게 기반 구축의 지름길이라고 생각했을 것이다. 〈뉴스앤조이〉에서 한국언론재단 데이터베이스에 기록된 시장 시절 이명박의 교계행사 참여 사례를 조사해 본 결과, 임기가 아직 반 년 정도 남은 시점에서 44번이나 참여한 것으로 나타났다. 마찬가지로 개신교 신자였던 고건 시장이 임기를 통틀어서 12번, 손학규 경기도지사가 6번 참석한 기록과 비교하면 놀라울 정도다. 물론 이것은 신문에 보도된 것만 계산한 것이다. 이 과정에서 이명박은 수도 서울을 하나님께 봉헌한다는 말로 파문을 일으키기도 했다.

장로 대통령을 배출한 교회에게는 그만한 대가가 돌아온다. 신도 수와 헌금의 급증이 바로 그것이다. 권력 라인에 줄을 대려는 사람들이 장로 대통령을 만든 교회로 몰린다. 설마 보통 월급쟁이가 줄 대려고 오겠나? 당연히 웬만큼 돈 있고 힘 있는 사람들이 온다. 그만큼 교회의 권력도 강해지고 돈도 많아진다.

반대로 진보 진영 정권에 대해서는 끊임없이 발목을 잡고 신도들을 동원해서 세 과시에 나선다. 참여정부 시절 사학법 반대 투쟁이나 국가보안법 반대 투쟁에서 많은 대형 교회들은 신도들을 버스로 실어 날라 가면서 조직적인 군중 동원에 나섰다. 자발적 참여든 조직적 동원이든 광장만 꽉 채우면 되니까. 그래서 다음날 조중동 1면에 사진만 멋지게 나오면 그만이다. 이렇듯 보수 교단들은 보수 진영의 각종 반대 투쟁에 든든한 서포터즈가 되어 왔다.

많은 대형 교회들은 한국의 현대사에서 조중동과 함께 보수의 이데올로기를 전파하고 하나님을 믿으러 온 무지몽매 보수들을 세뇌시키는 창구가 되어 온 셈이다. 그들의 탐욕은 자본가 보수를 뺨칠 정도다. 하나님을 팔아서 재물을 챙기는 데 혈안이 되어 있으니, 마치 재벌의 경영권 분쟁처럼 목사들 사이에 교회 권력을 놓고 다툼이 생긴다. 심지어 이명박 대통령을 배출한 소망교회에서까지 담임목사와 부목사들 사이에 권력 다툼이 벌어져서 주먹질까지 오가는 사태에 이르렀다. 한편에서는 북한의 권력 세습을 연상시키는 교회 세습이 여러 대형 교회에서 분쟁을 낳고 있다. 교회와 보수는 동반성장과 함께 동반부패까지도 나누고 있는 것이다.

우리나라는 대통령이 **장로**하는 나라일까?
장로가 대통령을 하는 나라일까? 이 문제의 정답은
청와대에 물어보세요.

하나님을
팔아
학교를 얻은
교회

.
,

대형 교회를 만들어도 여전히 배가 고픈 보수들을 위한
새로운 비즈니스 모델이 탄생했다. 그것은 바로 학교.

한국 사회에서 개신교의 주류를 이룬 장로회에는 역
사적으로 세 차례의 주요한 권력 다툼이 벌어진 바
있다. 여기에 한 가지 재미있는 점이 발견되는데, 분쟁에 꼭 끼여 있는
것이 용공 논란, 그리고 신학교다. 이 얘기를 본격으로 하기 전에, 잠깐
시계를 좀 더 뒤로 돌려서 일제강점기로 가 보자.

당시 서북 지역의 개신교단이 친일로 돌아선 배경에도 알고 보면 신학
교가 깔려 있다. 당시 신사참배를 거부해서 무기한 휴교를 하다 폐교된
평양신학교를 대체하기 위하여 서울 지역에 조선신학교를 세우려는 움
직임이 벌어졌다. 그런데 이에 대한 반발로 평양신학교를 다시 열려는

서북 지역 중심의 움직임이 나타났다.

그들은 신사참배를 비롯해서 일제에 적극 협력한 대가로 총독부로부터 인가를 받아내 평양신학교를 다시 열었다. 물론 이 학교는 예전의 평양신학교와는 다른 친일의 길을 갔고, 반면 조선신학교는 인가를 받지 못했다. 해방 후 친일행각을 벌였던 목사들은 거의 다 일제의 강요 때문에 어쩔 수 없었다고 변명해 왔지만 사실은 강요 말고도 신학교를 둘러싼 자신들의 이익을 위해서 일제에 붙어버린 추악한 모습도 있었던 것이다.

해방 뒤에 신학교를 둘러싼 보수 교단 사이의 다툼이 처음으로 불거진 것은 한국전쟁 두 달 전이다. 장로교의 본류인 장로교 총회에서 고신파가 축출당하는 일이 벌어졌다. 서북 세력이 중심이 된 총회 주류와 이런 과거를 비판했던 고신파의 갈등이 낳은 이 사건에 고려신학교(지금의 고신대학교) 설립을 둘러싼 분쟁도 한몫하고 있었다. 이 학교를 총회의 테두리 안에 놓이는 학교로 만들고 싶어 했던 세력과 총회의 간섭을 받지 않고 독립된 학교로 운영하기를 원했던 세력 사이에서 충돌이 벌어지고, 결국은 총회와 고신파의 정면충돌로 이어진 셈이다.

1953년 총회에서 기장을 축출하는 사태가 벌어진 것도 조선신학교(지

금의 한신대학교)의 성서 해석을 둘러싼 분쟁이 발단이 되었다. 당시 장로
교에서 인준을 받은 신학교로는 진보 성향의 조선신학교와 보수 성향
의 장로회신학교가 있었다. 표면적으로는 성서 해석을 둘러싼 신학 논
쟁이었다고는 하지만 알고 보면 결국 진보와 보수 사이의 갈등, 그리고
기득권 다툼이었다.

1959년 예장합동과 예장통합의 분열은 겉으로는 세계교회협의회(WCC)
가입을 둘러싼 용공 논란이었다고 하지만, 그 배경에는 당시 총회신학
교(지금의 총신대학교) 교장 박형룡의 3천만 환 횡령 사건을 둘러싼 분쟁
이 있었다. 신학교의 새 부지를 소개해 주겠다는 교인에게 이사회 승인
도 안 받고 교섭비라는 명분으로 3천만 환을 준 것이 들통 나자, 박형룡
은 결국 사표를 냈다. 그런데 교장 지지 세력들이 반발하면서 이 사건을
용공주의자들의 음모라고 주장하고 나선 것이다.

신학교는 말 그대로 목사를 길러내는 양성소다. 그 학교를 나온 예비 목
사들은 당연히 학교를 소유한 교파의 교리를 주입 받게 마련이다. 한국
사회에서 양적 성장에 정신이 팔린 보수 교단에서 이들의 논리를 철저
하게 교육 받은 목사들을 배출하는 것은 교세를 확장시키는 데 필수불
가결이란 건 두말하면 잔소리다. 그러니 신학교를 둘러싼 분열과 권력
다툼은 이들의 본질을 알면 이상한 일도 아니다.

교회의 욕망이 신학교로 끝났으면 그나마 다행이다. 너도나도 사학재단을 세워서 일반 중고등학교에까지 손을 뻗치면서 문제는 더욱 심각해졌다. 종교재단이 소유한 학교에서는 '미션스쿨'이라는 이름으로 예배를 의무화 한다. 우리나라의 교육 제도는 종교에 따라서 학교를 선택할 수 있는 체제가 아니다. 따라서 다른 종교를 믿는 학생들까지도 특정 종교의 의식에 참석하도록 강요 당하게 된다.

2004년 대광고등학교에서는 학교의 종교 강요가 얼마나 심각했는지를 확실히 보여주는 사건이 있었다. 학교의 예배 강요에 반발했던 당시 학생회장 강의석이 1인시위에 나섰고, 학교는 강의석을 제적했다. 강의석은 46일에 걸친 단식투쟁으로 맞섰고 결국 학교가 졌다. 예배선택권을 인정하기로 한 것이다. 이 사건을 통해서 종교 재단 소유 학교의 인권 침해에 대해서 많은 관심이 모아졌고 그 이후 벌어진 손해배상 소송에서 법원도 "학생들의 신앙의 자유는 종교교육의 자유보다 본질적"이라면서 강의석의 손을 들어 주었다.

개신교 재단이 소유한 학교의 문제가 종교 자유뿐이라면 그나마 다행이다. 어떤 다른 재단보다도 투명해야 할 개신교계 사학재단이 비리의 온상으로 지탄 받는 일들도 심심치 않게 벌어졌다. 민주노동당이 발표한 자료에 따르면 2006년에 사학 비리 또는 분규 때문에 정원 감축이

나 정부 지원 예산 삭감 결정이 내려진 19개 대학 중에서 12개가 종교
사학이었다고 한다. 게다가 12개 사학 중에 11개는 개신교 사학이었다.

참여정부의 뜨거운 이슈 가운데 하나였던 사학법 개정에 대해서 삭발
투쟁까지 하면서 누구보다도 격렬하게 반발하고 나선 곳이 보수 개신
교계라는 사실은 이런 점들을 종합해 보면 놀라울 일도 아니다. 교회에
게 사학재단은 가장 큰 자산이라고 할 수 있다. 교회 소유 학교는 학생
들의 의지나 뜻과는 상관없이 재단을 소유한 교단의 교리를 무차별 주
입시켜서 미래의 고객들을 길러내는 선교장으로 종종 악용되어 왔다.
또한 교회 소유 사학재단은 온갖 비리가 저질러지는 온상으로 비난을
받기도 했다. 돈과 기득권에 대한 욕망에 물들어 타락한 여러 교회들의
모습은 학교에도 그대로 옮겨지고 있는 것이다.

교회를 만드는 게 나쁜 건 아니다, 신학교를
만드는 것 또한 나쁜 건 아니다, 중고등학교를 세우는 게
나쁜 건 아니다. 하지만 보수와 결탁하여 **사리사욕**을
채우고 비리를 저질렀다면?

보수는
어떻게
몰락하게
되는가

2012년, 기회주의 보수에게 심판의 날이 온다

;

대선 결과에 관계없이 기회주의 보수는 힘을 잃을 수밖에 없다.
보수의 범주 안에서 주도권은 모태 보수에게로 넘어간다.

기회주의 보수 혹은 후천적 보수는 언제나 여유가 없고 조급하다. 이러한 조급함은 돈과 기득권에 대한 강렬한 집착과 잘 어울려서 모태 보수를 이기고 권력을 장악하는 동력이 된 것이 사실이다. 하지만 이제 그 문제점이 서서히 드러나기 시작하고 있다. 자신들을 빠르게 권력의 중심으로 다가가도록 만들었던 조급함이 이제는 거꾸로 기회주의 보수를 자체 붕괴시키는 원인이 되고 있는 것이다.

최근에 이러한 기회주의 보수의 자체 붕괴를 몸소 실천한 사람은 뭐니뭐니 해도 '셀프 탄핵'의 주역인 오세훈이다. 야당은 물론이고 한나라당에서조차도 반대 여론이 높았음에도 그는 왜 무상급식 주민투표라는 무리수를 택한 것일까? 이해할 수 없는 그의 선택에는 바로 기회주의 보수 특유의 조급증이 자리 잡고 있었다. 오세훈은 2010년 지자체 선거 결과 간신히 승리하긴 했지만, 강남 3구 시장이라는 비웃음 속에서 의회와 구청장을 민주당에 탈탈 털리다시피 한 사면초가 신세에 놓여 있었다. 조급증에 사로잡힌 기회주의 보수가 과연 이런 상황을 4년이나 참아낼 수 있을까?

게다가 대권에 대한 욕망에 사로잡혀 있었던 오세훈으로서는 한나라당 대권 후보로 절대적인 우세를 차지하고 있던 모태 보수 박근혜에 맞설 만한 강력한 한 방이 필요했다. 그러기 위해서는 박근혜를 누르고 '보수의 아이콘'으로 우뚝 설 무언가를 해야만 했다. 그래서 선택한 방법이 180억이나 비용이 들어가는 무상급식 주민투표였지만 그 결과는 참담했다. 아이콘은커녕 한나라당에게도 잘근잘근 씹히는 꼬깔콘 신세가 되어 버렸다. 그나마 보궐선거에서 한나라당이 다시 시장 자리를 되찾았으면 재기할 기회라도 얻었을 텐데, 결국 나경원 후보가 박원순 후보에 7% 차이로 참패하면서 오세훈은 '서울을 야당에게 봉헌한' 주역으로 재기가 거의 힘든 상황에까지 몰리고 말았다.

이 상황에서 우리는 비슷한 처지에 놓여 있던 김문수라는 인물을 주목할 필요가 있다. 유시민을 제압하고 경기도지사 2선에 성공했지만 그의 상황 역시 좋지는 않았다. 의회와 기초자치단체장 다수가 민주당에게 넘어간 상황에서 무상급식 문제를 풀어야 하는 어려움은 오세훈과 다르지 않았다. 하지만 그의 선택은 달랐다. 조급증에 사로잡혀서 무리수를 두는 대신에, 그는 의회와 타협하는 방법을 선택했다. 그가 들고 나온 해법은 무상급식에서 말만 살짝 바꾼 '친환경 급식'이었다.

김문수는 오세훈 바로 옆자리에서 "우리도 무상급식은 1원도 반영 안 했지만 친환경 급식으로 했다."라는 말로 한 방 제대로 먹였다. 김문수는 '무상급식은 막았다'는 명분을 챙기고, 의회는 실리를 챙기는 방식으로 최대의 난제를 푼 것이다. 그리고 그 대가로 GTX(수도권광역급행철도)와 같이 김문수가 앞장서서 추진했던 개발 사업에 대한 의회의 동의를 이끌어냈다. 이러한 김문수의 타협은 오세훈을 더욱 더 코너로 몰고 나가서 조급증을 재촉하는 결과를 낳았다. 조급증에 휩쓸려 버린 오세훈과 조급증을 자제한 김문수는 비슷한 상황에서 전혀 다른 결과를 낳은 것이다.

기회주의 보수 정권의 극단적인 모습을 보여주고 있는 이명박 정부의 조급증은 이곳저곳에서 목격되고 있다. 모든 것을 임기 안에 끝마치고 모든 것을 자신의 치적으로 만들어야 한다는 조급증은 4대강 사업을 낳았고, 촛불시위로 대표되는 대중들의 분노를 어떻게든 밟아 없애야겠다는 조급증은 방송장악으로 이어졌다. 자신을 지지해 준 자본가 보수에게 어떻게든 이익을 돌려줘야겠다는 조급증은 인천공항 매각 추진이나 한미 FTA로 이어지고 있다. 모든 일들이 너무나 서둘러 이루어지고 있고, 그러다 보니 여론 수렴이나 민주적 절차와 같은 것들은 아주 손쉽게 무시 당하고 있다.

기회주의 보수는 왜 그렇게 조급한 것일까? 답은 간단하다. 자신들의 행동이 정당하지 않다는 것을 자신들이 훨씬 잘 알고 있기 때문이다. 그래서 잘못을 황급하게 덮고 새로운 국면으로 넘어가야겠다는 강박관념에 빠져 있다. 그러니 그 때 그 때를 모면하기 위해서 깊이 생각하지 않고 새로운 것을 들고 나오고, 그 새로운 것의 약발이 다하고 문제점이 드러나기 시작하면 또 그 문제를 감추기 위해서 새로운 것을 들고 나온다. 마치 카드 돌려막기를 하듯이 새로운 이슈로 이전의 이슈를 막으려고 하는 것이다.

지금까지 기회주의 보수의 수법은 꽤 성공한 것처럼 보였다. 당장 눈으로 보기에는 효과 만점이기 때문이다. 하지만 이런 일이 되풀이 될수록, 그들의 몰락을 부채질하는 문제점들이 계속해서 쌓여간다는 사실을 그들만 보지 못하고 있다. 촛불시위로 불붙은 대중들의 분노를 짓누르기 위해서 물대포를 동원한 탄압을 하고, 방송을 장악해서 정보를 차

단하는 수법은 표면적으로는 꽤 효과가 있는 것 같았다. 일단 겉보기에
는 잠잠해진 것처럼 보였기 때문이었다. 그러나 수면 아래에서는 그 분
노가 사그라지는 것이 아니라 계속해서 쌓여가고 있다는 사실을 꿰뚫
어볼 눈은 없었다.

2012년 대선에서 진보 진영이 승리를 거두든, 박근혜가 승리를 거두든
한 가지 사실 만큼은 분명하다. 보수의 범주에서 기회주의 보수는 몰락
하고 모태 보수가 그 주도권을 넘겨받을 것이라는 점이다. 이는 한나라
당을 중심으로 한 보수 진영에 엄청난 지각 변동을 몰고 올 것이다. 낭
떠러지는 점점 가까워지고 있는데, 기회주의 보수에게는 좌회전을 해
도 우회전을 해도 탈출구가 전혀 보이지 않는, 암울한 상황이 점점 현
실로 다가오고 있다.

기회주의 보수는 **조급증** 때문에 망한다.
조급해지는 이유는 자신들이 정당하지 않다는 것을
잘 알기 때문이다.

국민주권 앞에
보수는
벌벌 떤다

•
,

사랑하는 사람끼리는 어쩌다 한 번, 생일이나 기념일에만 한두 번,
그럴 때만 가끔 잘해주는 척하면 앞으론 국물도 없다.
국민도 마찬가지다, 권력자에게는.

"대한민국의 모든 권력은 국민으로부터 나온다."

대한민국 헌법 제1조에 이런 문장이 있는 것, 모두들 알고 있는 사실이
다. 하지만 이 구절은 그동안 제대로 빛을 보지 못했다. 권력이 국민으
로부터 나올 때는 투표할 때뿐이었다. 선거가 끝나면 사람들은 당선자
가 임기 동안 뭘 하든, 방관하다시피 했다.

그래서 정치인들은 지키지도 못할 온갖 공약을 남발했다. 일단 당선만
되면 공약이 휴지조각이 되든 말든 상관할 바가 아니었다. 사람들의 환
심만 살 수 있다면 아무래도 상관없다. 법원의 당선무효형만 피해갈 수

있다면 아무래도 좋다. 잠시 여론의 지탄을 받을 수는 있지만 언제나 그때뿐, 사람들은 어차피 잘 잊어버리니까.

보수는 정치 무관심을 먹고 산다. 진보는 그래도 자체적으로 비판과 자성의 메커니즘이 있다. 대중들의 눈에는 그게 분열로 보이고, 왜 같은 진보끼리 싸우냐고 하겠지만, 한편으로는 그렇게 안에서 논쟁하고 비판하고, 그래서 스스로를 돌아볼 기회를 가진다. 하지만 보수는 그렇지 못하다. 자신들이 위기에 빠졌다고 느낄 때에만 그러는 척할 뿐, 시간이 지나면 다시 돌아가 버린다.

언론도 방송도 장악하고 있으면, 대중들을 정치 무관심에 빠뜨리기는 더욱 손쉬워진다. 정치적인 이슈에 대해서 시시비비를 가리기보다는 진흙탕 싸움으로만 묘사하면서 사람들에게 그놈이 그놈이란 인식을 심어 준다. 사람들은 더욱 더 정치를 짜증스럽게 생각하고, 점점 더 무관심해진다. 그런 상태에서 선거를 해 봐야 결과는 뻔하다. 누굴 찍어야 할지 모르겠다면서 투표를 안 하거나, 개인의 이미지에 따라서 투표하거나, 언론에서 떠드는 논리에 현혹돼서 투표를 하거나.

"민주주의 최후의 보루는 깨어있는 시민의 조직된 힘입니다." 라는 노무현 전 대통령의 묘비 글귀는 많은 것을 말해 준다. 투표는 국민연금과도 같다. 노후 생활 유지를 위해서 국민연금은 기본에 속하듯, 투표 역시도 민주주의 유지를 위해서 꼭 필요한 기본 중에 기본이다. 하지만 그 것만으로는 부족하다. 국민연금만으로는 여유로운 노후 생활을 하기는 어렵기 때문에 사람들은 돈을 아껴서 저축을 하고 보험을 든다. 민주주의도 마찬가지다. 투표만으로는 국민들이 제대로 주권을 발휘하기엔 부족하다. 깨어 있는 시민들이 조직된 힘으로 끊임없이 감시하고, 비판하고, 행동해야 한다. 그렇지 않으면 투표는 무관심을 먹고사는 세력들의 기득권을 정당화시켜 주는 요식행위로 전락한다.

이명박이 고맙게도 국민들에게 일깨워 준 것도 바로 이 점이다. 선거에서 뽑혔으니까, 다수의 지지로 당선 됐으니까, 뭘 해도 내 마음이라는 식으로 권력을 휘두르는 모습을 보면서 사람들은 국민주권이 얼마나 소중한지 깨닫기 시작했다. 계속 감시하지 않으면 조선시대 임금도 울고 갈 제왕 행세를 하려든다는 사실을, 사람들은 피부로 절감하기 시작했다.

가장 먼저 나타난 현상이 보궐선거 투표율이다. 보궐선거는 평일에 치러지기 때문에 투표하기기 상당히 귀찮다. 특히 대도시 지역에서 치르는 보궐선거는 대체로 20~30% 정도의 형편없는 투표율에 머무르는 게 보통이었다. '먹고살기 바빠 죽겠는데 어떻게 보궐선거까지 챙겨?' 하는 게 사람들의 정서였다. 하지만 최근 들어서 대도시 지역에서 투표율이 40%를 넘어서 50%에 육박하는 모습을 보여주었다. 2011년의 분당을 국회의원 보궐선거, 서울시장 보궐 선거는 각각 49.1%와 48.6%를 기록했다. 2008년 총선에서 서울시 투표율은 45.8%이었다. 휴일에 치러진 선거보다 오히려 평일에 치러진 보궐 선거가 더 높은 투표율을 기록하는 놀라운 현상이 벌어졌다.

보궐선거는 날이면 날마다 있는 건 아니다. 최근 들어 나타난 결과는 사람들이 끊임없이 인터넷으로, SNS로 소통하고, 정치의 문제가 자신의 삶의 문제라는 사실을 스스로 각성하고, 사람들에게 환기 시킨 성과다. 예전에는 그저 언론에서 오는 정보를 받아들이기만 했다. 물론 사람들은 뉴스 기사에 댓글로 자신의 생각을 표현하기도 하고, 블로그를 통해서 좀 더 정제된 생각을 담기도 했다.

모바일과 SNS가 발전하면서 사람들은 짧은 글 속에 자신의 생각을 훨씬 쉽게 담을 수 있게 되었고, 자신의 생각을 다른 사람들과 공유하는 것도 훨씬 간편해졌다. 팟캐스트나 유튜브와 같은 멀티미디어 콘텐츠도 더욱 활발하게 제작되고 공유되면서 유쾌하게 정치를 꼬집고 파헤치는 통로가 되었다. 그 콘텐츠를 통하여 정치를 피부로 느끼게 하고, 정치에 참여하는 것은 짜증나는 일이 아니라 즐거운 일이라는 것을 일깨워준 성과가 나타나고 있다.

선거라면, 많은 사람들이 투표에 참여해야 하는 것은 상식이다. 그런데 보수는 이 상식을 무서워한다. **투표율이 낮으면 보수에게 유리하고 투표율이 높으면 진보에게 유리하다는 공식은 이제 거의 피타고라스 정리만큼이나 진리로 받아들여지고 있다.** 그래서 온갖 꼼수도 등장한다. 특히 분당을 보궐선거에서 저녁시간 넥타이부대가 막판 2시간 동안 투표율을 9.1%나 끌어올린 것을 본 뒤로는 선거 방해가 더욱 노골화 되었다.

10.26 서울시장 보궐선거에서는 20년 동안 언제나 똑같은 장소였던 투표소가 갑자기 바뀐 곳도 있었다. 사람들이 찾기 힘든 한구석에 투표소를 마련해 놓고서 그나마 안내도 제대로 안 되어 있는 곳도 있었다. 투표율이 높아야 보수에게 유리했던 무상급식 주민투표는 서울 지역의 많은 대기업과 관공서들이 투표 참여를 독려하고 출퇴근 시간까지 조정해줬지만 보궐선거에서는 큰 폭으로 줄어들었다. 오히려 넥타이부대의 투표를 막으려고 저녁시간에 특별교육을 잡는 꼼수를 부린 기업들도 있었다. 방송을 통해서 투표 참여에 앞장서야 할 공영방송 KBS는 10월 26일에 저녁 6시 30분부터 무료 영화 상영회를 열었다. 이게 무엇을 의미하는 걸까?

투표를 방해하려는 갖은 꼼수가 난무했지만 서울 시민들은 이를 뚫고 이겼다. 보수 진영으로서는 벌벌 떨 수밖에 없는 상황이 펼쳐지기 시작한 것이다. 이것은 단순히 한 번의 선거에 관한 문제가 아니다. 끊임없이 사람들이 정치에 관심을 가지고, 보수 진영의 온갖 술수에 속지 않고, 본질을 꿰뚫어 보았기 때문이었다.

진보 진영으로서는 참 다행스러운 일은, 이명박 정권은 여전히 정신을 못 차리고 권력을 자기 맘대로 휘두르고 있다는 점이다. 서울시장 보궐선거 바로 다음날 촛불 탄압의 장본인인 어청수를 보란 듯이 청와대 경호실장으로 임명한 것만 봐도 그렇다. 국민들은 계속해서 "대한민국의 모든 권력은 국민으로부터 나온다"는 구절의 의미를 알아가고 있는데 보수 정권만 그걸 모른다면, 앞으로 줄줄이 치러질 정치 일정에서 어떤 결과가 나올지는 속된 말로 '안 봐도 비디오'다.

보수는 **정치 무관심**을 먹고산다.
그런데 이제 보수는 굶어 죽을지도 모른다.

보수의
자만심,
오버액션을
부른다

•
,

슬금슬금 늘어난 자만심에 어느덧 오버액션을 하는 것처럼,
한두 번 써먹어 약발이 다한 후에도 환상에서 벗어나지 못해 꼼수를 부리게 된다.

미국 FBI에서 연쇄살인범 전문가로 명성을 날렸던
존 더글러스는 미궁에 빠진 연쇄살인 사건의 범인이
결국 잡히는 주요한 이유 가운데 하나로 '자만심'을
꼽았다. 그에 따르면 처음에 살인을 저질렀을 때에는 무척 조심스럽
고, 어떻게든 흔적을 남기지 않으려고 애를 쓴다고 한다. 그런데 살인이
계속되면 계속될수록 살인자는 점점 대담해진다. 그래서 이전의 살인
사건과 이번 사건이 같은 범인이 저지른 것이라는 징표나 흔적을 일부
러 남기기도 하고, 언론사에 편지를 보내거나 경찰에 전화를 걸어서 비
웃고 조롱하기도 한다는 것이다. 당연히 이런 오버액션이 쌓이고 쌓이
다 보면 꼬리가 길어지고 결국은 밟히게 되는 것이다.

이러한 자만심의 함정은 크고 작은 범죄와 사기에서도 잘 드러난다. 심지어는 정치권에서도 이런 모습을 발견할 수 있다. 예전에는 잘 먹혀들었던 수법이 갈수록 먹혀들지 않고 사람들이 등을 돌리는데도, 당사자는 여전히 환상에서 벗어나지 못하고 계속해서 오버액션을 작렬하는 것이다. 그럴수록 불신이 가속화되는 것은 말할 필요도 없다.

4대강 사업은 자만심에 바탕을 둔 이명박 정권의 대표적인 오버액션이라고 할 수 있다. 대중교통 개편, 청계천 복원 사업을 통해서 서울시장 이명박은 사람들에 절정의 인기를 얻었다. 당시 외부는 물론 내부에서 벌어지고 있는 갈등조차도 제대로 해결하지 못하고 우왕좌왕하던 참여정부의 모습과 비교되어, 이명박은 불도저와 같은 추진력은 물론이고 갈등을 솔직하고 효과적으로 조정하는 정치력을 갖춘 인물로 인식되었다. 결국 이런 이미지를 등에 업고 압도적인 표차로 당선되었다.

이렇게 단맛을 제대로 본 이 대통령은 공약으로 내걸었던 한반도 대운하를 추진하려고 했다. 청계천 복원 사업을 통해서 대중들의 지지를 이끌어내었고 이를 바탕으로 대통령이 되었으니, 더욱 스케일 큰 한반도 대운하는 더 큰 지지를 받을 줄 알았을 것이다. 그런데 웬걸? 청계천과는 달리 심각한 반대 여론에 부딪쳤다. 이런 반전이 일어날 거라고는 상상도 못했을 것이다.

이명박은 한 가지 중요한 사실을 놓치고 있었다. 아무리 보수답게 이익을 앞세우는 정책으로 갈등 구조를 풀었다고 해도 당위성이 아무 쓸모가 없는 것은 아니라는 것이다. 청계천의 경우에는 그래도 당위성이 있었다. 콘크리트 밑에 가려졌던 하천을 복원하고 햇빛을 보게 한다는 정당성과 공해로 찌든 거대도시 서울의 숨통을 트이게 한다는 명분이 있었던 것이다. 진보 진영에서는 청계천을 자연 하천이 아닌 거대한 수돗물 어항으로 만들어버린 이명박 식 복원에는 강력하게 반대했지만 청계천 복원 그 자체에 대해서는 동의할 수밖에 없었다. 복원 자체로만 놓고 보면 정당성이 있었기 때문이었다.

한반도 대운하는 어땠는가? 처음에는 사람들이 청계천의 연장선상에서 운하도 어느 정도 이해해 주려는 분위기였다. 하지만 제시하는 청사진은 청계천 복원에 비하면 그 당위성과 명분이 한참 뒤떨어졌다. 일단 운하를 통한 물류 운송이 오히려 바다를 통해 돌아가는 것보다도 훨씬 느리기 때문에 경제성이 없다는 데에서부터 명분이 대폭 빠져버렸다. 게다가 대형 화물선은 들어가지도 못하는 좁은 강폭, 수많은 갑문을 설치하는 데에서 오는 환경 파괴 논란, 그밖에 수많은 문제점들이 꼬리에 꼬리를 물고 나오고, 여기에서 사람들을 설득할 만한 정당성을 찾기란 거의 힘든 상황이 되었다.

게다가 이명박의 최대 치적으로 평가 받았던 청계천 복원도 슬슬 부작용이 하나 둘 불거져 나오기 시작했다. 이런 상황에서 대운하를 통한 이익 배분으로 제시할 수 있었던 것은 막대한 비용에 비해 효과가 의심스러운 유람선 관광, 그리고 주변 지역 부동산값 상승이다. 이익이라는 면에서는 좋긴 한데 어떻게 설명할 방법이 없는 수준이었다. 결국 이익의 교환이라는 면에서도, 정당성이라는 면에서도 어느 하나 제대로 사람들을 설득시킬 수 없었던 한반도 대운하는 수포로 돌아가고 말았다.

여전히 청계천 환상에서 벗어나지 못한 이 대통령은 이번에는 4대강 살리기 사업을 들고 나왔다. 이 역시도 사람들이 이해하기에는 말이 안 되는 부실 논리 투성이었다. 강 한가운데에 보를 설치해서 강물이 흐르는 속도, 곧 유속을 느리게 한다면서 강이 깨끗해진다고 하고, 강 주위에 위락시설을 지으면서 수질이 개선된다는 식의 앞뒤 안 맞는 논리에 사람들이 속아줄 리가 없었다. 반대 여론에 대해서 기껏 이 대통령이 주장했던 논리는 '청계천이나 경부고속도로처럼 나중에 지나보면 알 거다'라는 게 고작이었다. 결국 대운하 추진 실패로 상처 받은 자만심을 되찾기 위한 또 하나의 오버액션 4대강 사업으로 이명박은 갈등을 조정하고 타협시키는 조정자의 이미지를 완전히 잃어버리고 말았다.

언론 탄압이나 집회 시위의 자유에 대한 봉쇄도 자만심이 부른 오버액

션으로 해석할 수 있다. 처음에는 효과가 있고 반대의 목소리를 억누르
는 것처럼 보였으니 자만심이 부풀어 올라서 더 강하게, 더 노골적으로
자기 사람들을 방송사 사장에 앉혔다. 한편으로는 정치적으로 다른 목
소리를 내는 사람들을 방송사에서 몰아냈다. 그리고 검열의 칼날을 들
이댔다. 거리에서는 물대포를 앞세운 공포 분위기를 조장해서 사람들의
입을 틀어막으려고 했다. 나 개인적으로는 이런 오버액션에 약간은 감
사해야 할 구석도 있긴 하다. 이렇게 뉴스 방송들을 하나같이 바보로 만
들어 놓았으니까 〈나는 꼼수다〉가 히트를 한 것 아니겠는가.

자만심이 낳은 보수 정권의 오버액션은 정권 말기로 가면서 하나하나
그 부작용이 드러나 거꾸로 보수의 목을 조르는 결과를 낳고 있다. 이
런 상황까지 오면 이제 그 심각성을 깨닫고 정신을 차릴 법도 한데, 아
직까지도 노골적인 검찰의 편파 수사와 인터넷 SNS까지도 검열의 칼날
을 들이대려는 시도는 멈추지 않고 있다.

예를 들어, 곽노현 서울시 교육감에 대한 검찰의 수사와 비교해서 저축
은행이나 SLS 그룹에 관련된 수사는 그야말로 '번개 대 굼벵이'에 비교
될 정도로 극과 극을 달리고 있다. 누가 봐도 너무나 뻔한 편파 수사가
이루어지고 있다. 이렇게 되다 보니 대가성 여부에 관계없이 2억을 건
네주었다는 그 사실 자체만으로도 타격을 받을 정도의 약점에도 불구하

고 곽 교육감은 진보 진영 여론의 지원을 받고 있는 상황이다.

아직도 이명박 정부는 이쯤 했으면 다들 겁먹고 그만 까불 거라고 기대하고 있겠지만 미안하다, 야구로 말하면 투구 폼 다 읽혀 버렸다. 오히려 사람들은 더 이상 공포의 오버액션에 속지 않고 서서히 두려움에서 벗어나고 있다. 조만간 만루 홈런 한 방 제대로 맞게 될 터이니 기대하길 바라겠다.

이명박 정권의 **오버액션**은 말기로 가면서
하나하나 그 부작용이 드러나 거꾸로 보수의 목을
조르기 시작하고 있다.

기회주의 보수의
대박 선물,
곽노현 수사

.

,

때론 위기도 기회가 된다는 말을 실감하게 된 사례,
곽노현 수사는 진보 진영에게 좋은 약이 되었다.

서울시 무상급식 주민투표가 결국 개표를 위한 최소
투표율인 33%에 한참 못 미치는 25.7%에 그치면서
오세훈의 '셀프 탄핵'으로 막을 내린 다음 날, 검찰에
서는 갑자기 곽노현 서울시 교육감에 대한 수사 카
드를 들고 나왔다. 교육감 선거 때 단일화 대가로 박명기 교수에
게 돈을 줬다는 게 그 내용이었다. 곽 교육감은 2억 원을 준 사실은 인
정하면서도(검찰에서도 얘기하지 못한 정확한 액수를 먼저 밝히기까지 했다) 단
일화 대가가 아니라 박 교수의 어려운 형편을 알고 선의로 준 것이라고
주장했다. 그러나 결국 곽 교육감은 구속되고 말았다.

역전이냐 반전이냐

이 사건은 반전에 반전을 거듭하면서 여권과 야권을 막론하고 내부에서도 상당한 논란을 일으켰다. 처음에는 야당은 물론이고 한나라당의 정두언이 "주민투표 직후 어쩜 이렇게 타이밍이 절묘한지…… 시장선거를 망가뜨리겠다고 작정하지 않고서는 이럴 수가 없죠"라고 비난할 정도로 검찰 수사에 대해서 부정적이었다. 그러다가 곽 교육감이 2억을 준 사실을 인정하는 반전이 일어나고 분위기는 180도 바뀌었다. 한나라당은 이게 웬 떡이냐는 듯 총공세를 펼쳤고 야3당까지도 곽 교육감이 스스로 물러날 것을 재촉했다.

그러나 곽 교육감이 선의로 주었다는 주장을 굽히지 않고 사퇴를 거부하면서, 그리고 그 뒤에 불거진 저축은행 비리나 SLS 그룹 의혹을 비롯해서 여권 인사들이 관련된 수사는 곽 교육감과는 달리 노골적으로 미적미적하게 굴러가면서 분위기는 또 바뀌기 시작했다. 곽 교육감의 진정성을 믿는 사람들이 점점 늘어나고 이들이 지지를 보내면서 정치권까지 영향을 미치게 된 것이다.

이와 같은 상황들은 야권에 확실한 메시지를 전해 주었다. 이명박 정권은 끊임없이 야권을 집요하게 공격하면서 뒤흔들려고 시도할 것이라는 분명한 증거가 된 것이다. 그 결과, 서울시장 보궐선거의 야권 후보 단일화 과정을 살펴보면 이전과는 완전히 다른 모습을 보여준다.

예전 같으면 단일화의 방법에서부터 각 정당들마다 자신의 이익을 최대한 관철시키기 위해서 힘겨루기를 했을 것이다. 보통은 단일화 방법을 결정하는 데만도 상당한 시간을 허비하고 서로가 이 과정에서 불신을 쌓아가게 마련이다. 그 좋은 예가 4.27 보궐선거 때 김해을 선거구의 경우다. 처음에 민주당에서 내세우려고 했던 김경수 봉하재단 사무국장이 출마를 포기한 것을 두고 국민참여당을 비난하면서 두 당 사이에는 감정의 골이 깊어졌다. 게다가 국민참여당 쪽에서 단일화 방법에 대한 시민단체의 중재안을 거부하고 '여론조사 100%'를 끝까지 고집하면서 양쪽의 반목은 극단으로 치달았다. 결국 국민참여당의 이봉수 후보로 단일화가 되었지만 이렇게 팀워크가 망가진 단일화가 제 구실을 할 리가 없었다. 결국 선거 결과는 비리 의혹으로 국무총리에서 낙마했던 김태호 후보에게 금배지를 헌납하고 정치적으로 부활시켜준 꼴이 되고 말았고, 국민참여당을 이끌던 유시민은 경기도지사 선거 패배에 이어 정치적으로 커다란 타격을 입고 말았다.

위기의식은 단일화의 접착제

이러한 예전 사례들과 비교하면 이번 단일화는 놀라우리만큼 일사천리로 진행되었다. 박원순 후보 쪽에서는 단일화 방법을 놓고 민주당이 주장한 안을 토 달지 않고 그대로 받아들였다. 반대로 민주당에서는 단일화 경선이 끝난 다음, 더 이상 박원순에게 민주당에 입당하라고 스트레스를 주지 않았다. 그럼으로써 단일화 과정에서 서로 불협화음을 일으키거나 시간과 노력 낭비를 하지 않고 어느 때보다 신속하게 단일화 선거운동 체제로 들어갈 수 있었다. 민주당의 박영선 후보도 단일화 경선에 패배했을 때 깨끗이 이를 인정하고 선거운동에 적극 참여하면서 패배한 정치인이 아닌 큰 정치인의 면모를 보여 주었다.

서울시장 선거라는 큰 판에서 서로가 양보와 양보를 교환하면서, 단일화 과정의 불협화음이 거의 일어나지 않은 것은 정말로 보기 드문 일이었다. 단일화 판을 흠집 내고 뒤흔들기 위해서 밀어붙였던 곽노현 수사가 오히려 진보 진영의 위기의식을 자극하고 단일화의 접착제 노릇을 제대로 해 준, 역설적인 결과로 귀결된 것이다.

앞으로 이명박 정권에서는 임기가 끝나는 그 순간까지 검찰을 비롯한 사정기관을 앞세워 야권 인사들을 집요하게 공격하고, 흔들어대려고 할 것이다. 이것은 기회주의 보수 특유의 조급증이다. 다만 이명박은 여전히 이런 무리수가 어떤 역효과를 불러올지 전혀 모르고 있다는 것이고 이는 진보 진영으로서는 더 없이 반가운 일이다. 그 꼼꼼한 원래의 목적과는 다르게 진보 진영이 끝까지 긴장의 끈을 늦추지 않게, 그래서 단단히 뭉치게 해주는 대박 선물을 안겨주고 있는 것이다. 아직 끝나지 않았다. 앞으로 또 어떤 선물들을 안겨 줄지, 긴장 늦추지 말고 주시해 보자.

몰락 Point

야권 후보 **단일화**가 이렇게 **일사천리**로
깔끔하게 이뤄질 줄은 정말 몰랐을 것이다.

양치기 조중동, 더 이상은 못 속인다

조중동은 막강하다. 그러나 그 위력이 예전만 못하다.
아무리 세련되어도 꼼수는 꼼수니까.

보수 진영 안에서 조중동의 위치는 공고하다. 당분간은 그 위치 자체가 흔들리지는 않을 것이다. 그러나 느리지만 계속해서 일어나고 있는 변화가 있다. 그것은 바로 '신뢰도'의 하락이다. 이는 다시 말해서, 조중동을 보는 사람들 중에서도 그들의 논리에 속는 사람들이 점점 줄어들고 있다는 것을 뜻한다.

10.26 보궐선거의 핵이었던 서울시장 보궐선거에서 조중동의 편파보도는 극에 달했다. 민주언론시민연합에서 10월 10일부터 20일까지, 나경원 후보와 박원순 후보에 대한 의혹 관련 기사 건수를 통계로 내 본 결과는 다음과 같았다. (한 기사에서 두 후보를 모두 다룬 경우는 중복 체크)

	한겨레	경향	조선	중앙	동아
나경원	12	11	5	4	2
박원순	11	9	13	21	22

조중동에게 좌파 언론으로 줄곧 낙인찍히는 한겨레와 경향은 두 후보의 의혹에 관한 기사 건수에서 차이가 별로 없는데 반해, 조중동은 적어도 두 배, 많게는 열 배까지 차이를 보인다. 결국 나경원 진영의 네거티브 공세 맨 앞에서 조중동은 충실한 나팔수 노릇을 했던 것이다. 그렇다면 그것은 얼마나 효과가 있었을까?

선거 당일 YTN에서 진행한 출구 조사를 보면 단순히 누구에게 투표했는지를 넘어서 투표 참가자들의 여러 가지 성향이나 생각에 관한 설문 조사도 함께 진행되었다. 여기에는 네거티브 선거 전략에 대한 내용을 묻는 항목도 있었는데, 그 결과가 무척 재미있다. 나경원의 의혹이 문제가 있다고 답한 사람들은 43.6%, 문제없다고 답한 사람들 45.5%였다(나머지는 '모르겠다'고 답한 사람들). 거의 반반이었다. 반면에 박원순의 의혹에 대해서는 문제 있다는 쪽이 33.3%, 문제없다는 쪽이 53%, 따라서 문제없다는 사람들이 20%나 더 많았다. 다시 말해서 조중동의 몸부림에도 불구하고 오히려 나경원 쪽이 더 치명타를 맞은 것이다.

게다가 박원순에게 투표한 사람들은 나경원의 의혹에 문제가 있다고 답한 사람들이 74.8%, 곧 4분의 3이었다. 반대로 나경원에게 투표한 사람들은 박원순의 의혹에 문제가 있다고 답한 사람이 55.6%, 그러니까 절반을 약간 넘는 수준이었다. 20% 가까이 격차가 난 것이다. 결국 심지어는 나경원 지지자들에게조차도, 정권에게 장악 당한 언론과 조중동의 총공세는 확실하게 먹혀 들어가지 못했던 것이다.

이는 2010년 지자체 선거에서도 드러난 바 있다. 당시에도 보수 언론들은 천안함 침몰 사건을 무기삼아서 총공세를 펼쳤다. 정말로 미친 듯이, 마르고 닳도록 활용했다. 그래서 그 결과는 과연 만족스러웠을까? 예전 같았으면 야당은 핵폭탄급 북풍 사건 앞에서 초토화되었을 것이다. 하지만 그렇지 않았다. 서울시장도 한나라당이 강남 3구의 몰표 덕분에 달랑 0.6% 차이로 간신히 이겼을 뿐이다. 그리고 의회와 구청장은 완패 당했다. 80년대에 금강산댐 때문에 온 국민들이 공포에 떨고 순식간에 엄청난 성금이 모인 것과 비교한다면 엄청난 인식 변화다. 2011년 서울시장 보궐선거에서도 막판에 색깔론 총공세가 펼쳐졌지만 결국 여당의 참패로 끝났다.

조중동이야 안보불감증, 독버섯처럼 퍼진 종북좌익 어쩌고 하면서 게거품을 물겠지만 이제는 사람들이 북풍 공세에 맹목적으로 휩쓸리지 않고 점점 상황을 차분하게 논리적으로 따져보기 시작했다. 예전에는 '북한' 간판만 붙여 놓으면 사람들은 도대체 앞뒤가 맞는 스토리인지, 논리와 상식으로 따져 봤을 때 말이 되는 얘긴지, 제대로 생각해 보지도 않았다. 북한은 언제나 상식 밖의 대상이었고, 상식으로 보면 말이 안 되는 일이라고 해도 북한만 붙여 놓으면 뭐든 통했던 시절이었다.

하지만 서서히, 사람들은 북한을 상식적 판단이 가능한 대상으로 생각하기 시작했다. 북한은 무슨 짓이든 할 수 있는 판타지 속 존재가 아니라는 사실을 깨달은 것이다. 보수 언론은 이러한 변화를 제대로 모르고 있다. 그러다 보니 당황하고 있다. "아니! 북한 소행이라니까! 북한이라는 딱지만 붙이면 뭐든지 말이 되고 뭐든지 진실이 되는 거라니까! 믿으란 말이야, 안 믿으면 너희들은 좌파야!"라고 강변하는 목소리가 더욱 높아질수록, 이는 사람들이 점점 더 보수 언론을 믿지 않고 있다는 것을 인정하는 꼴이 된다.

이제는 오히려 보수 언론들이 북한을 너무 남발한 게 문제가 되고 있는 상황이다. 어떠한 첨단 장비에도 걸리지 않고 조용하게 남쪽으로 와서 우리 군함을 침몰시키고 마치 산신령처럼 조용히 사라지는 것은 물론이고, 우리나라의 금융 기관과 정부 웹사이트를 제집 드나들듯이 드나드는 최첨단 IT 강대국으로 북한을 신격화시켜 버렸으니, 이제는 양치기 소년처럼 정말로 100% 북한 소행이 확실한 사건조차도 보수 언론이 떠들면 사람들이 안 믿을 판이다.

과연 종편 채널이 본격적으로 시작되면 어떻게 될까? 물론 조중동에 매경까지 더해진 보수 언론들이 방송이라는 강력한 무기를 갖게 되는 것은 부인할 수 없는 사실이다. 하지만 신뢰도라는 면에서는 어떨까? 방송이라고 해서 사람들이 더 믿을 거라고 생각한다면 그건 착각이다. 사람들은 조중동을 생각하는 수준으로 종편도 바라보게 될 것이다. 게다가 철저하게 소유주가 마음대로 할 수 있는 신문과는 달리 방송은 전파라는 제한된 공공재를 빌려서 쓰는 형식이기 때문에 훨씬 많은 법률의 규제를 받는다. 다시 말해서, 신문처럼 막 나가기도 힘들다.

오히려 자칫 우리나라의 좁은 방송과 광고 시장 안에서 한꺼번에 종편 채널이 네 개나 들어오게 되면 조중동과 매경 중에 적어도 한두 곳은 재정난에 봉착할지 모른다는 전망도 있다. 종편 채널들 간에는 시작 단계부터 인기 연예인들에게 배팅하듯 출연료를 올려 부르는 출혈 경쟁이 벌어지고 있는 상황이다. 방송은 신문에 비하면 훨씬 많은 자본을 쏟아부어야 하며, 이들의 출혈 경쟁으로 인해 제작비가 눈덩이처럼 불어나고 있다. 오히려 종편 진출이 보수 언론의 워크아웃을 부르는 계기가 될 가능성도 있는 것이다.

아직까지는 조중동이 신문의 품질면에서는 한겨레나 경향보다 나은 건 인정해야 할 현실이다. 자본가 보수와 결탁해서 풍족한 자본을 가진 언론이 당연히 인력이나 제작 환경이 훨씬 좋은 걸 어쩌겠나. 하지만 지금처럼 사람들에게 점점 믿음을 잃어간다면 결국은 잘 만든 벼룩시장 수준의 정보지 신세로 전락할 수밖에 없다. 조중동을 견제하고 변화를 재촉하는 방법은 이들과 맞서고 있는 진보 성향 언론의 힘을 키워 주는 것이다. 이들 언론의 부수가 늘어나고 더 많은 사람들이 찾아볼수록, 경영 여건도 좋아지고 품질도 더욱 좋아지게 된다. 그러면 자본가 보수도 광고를 가지고 이들을 함부로 조종하려 들기가 점점 힘들어질 것이다.

연구 Point

조중동 보지 말라는 말은 아니다.
경향, 한겨레 등 진보 성향 신문들도 열독해보자.

박근혜의 침묵, 보수 전체의 위기로 번진다

;

지금까지 침묵은 매우 좋은 전략이었다.
이제는 말해야 할 때다.
그런데 그러기가 쉽지 않아 보인다.

지금까지 정치인 박근혜에 대해서는 수많은 분석과 평가가 있었다. 박근혜는 무척 특수한 경우에 속하는 정치인이다. 어머니의 죽음으로 아주 젊은 시절부터 퍼스트레이디 구실을 해야 했고 아버지의 죽음, 그 이후에 닥쳐온 여러 가지 시련과 역경을 딛고 선 삶은 지금의 보수 정치인 가운데서는 가장 드라마틱하다고 볼 수 있다. 게다가 보수의 '꼰대' 남자 정치인들을 자신의 세력으로 줄 세운 것 역시도 대단한 정치력이다.

박근혜는 기회주의 보수와는 다른, 버림의 리더십, 곧 집착하거나 이익을 얻으려는 모습을 보이지 않음으로써 구태에 절어 있지 않은 신비주의 이미지를 굳혔다. 그리고 모태 보수 특유의 일관성과 확실성으로 예측 가능한 정치인이라는 평가를 얻었다. 절제된 말과 행동은 정치인들의 막말에 질려버린 대중들에게 신선한 이미지를 심어주었다. 여기에 아직까지 널리 퍼져 있는 박정희 향수까지 후광으로 작용해서, 지지율 조사를 해 보면 언제나 2위와 더블 스코어 이상을 기록할 정도로 차기 대권 주자로 월등한 선두를 꾸준하게 달리고 있었다.

많은 국민들은 2012년에 이명박 정권과 그 기반인 기회주의 보수에게 확실하게 엿을 먹이고 싶어 한다. 이런 정권은 두 번 다시 나오지 말아야 한다는 생각이 점점 더 폭넓은 공감대를 얻고 있는 상황에서, 도대체 누가 가장 위대한 '빅엿'을 먹일 수 있을까? 이에 대한 답으로 그동안 박근혜를 꼽는 정치 전문가들이 많았다. 야당이 정권을 잡았을 때에 지난 정권을 청산하는 것은 '정치 보복의 악순환'이라고 공격을 받을 부담이 있다. 그러나 보수가 보수를 청산한다면 어떻게 될 것인가? 이이제이(以夷制夷)란 말처럼, 모태 보수의 손으로 기회주의 보수를 청산한다면 조중동으로서도 여기에 저항할 논리가 궁색할 수밖에 없을 것이다. 오히려 야당이 못하는 일을 박근혜가 할 수도 있는 셈이다.

게다가 박근혜는 이명박 정권 내내 대립각을 세워 왔다. 세종시 수정안 논란은 기회주의 보수와 모태 보수의 대결이 가장 첨예했던 사례였다.

기회주의 보수는 상황이 바뀌었으니 원안대로 갈 수 없다고 주장한 반면, 모태 보수는 약속한 건 지켜야 한다면서 원안을 고수했다. 18대 총선에서 공천 학살을 당하고 그 뒤로 이명박 정권에 많은 굴욕을 당하면서 이를 참아야만 했던 박근혜 진영은 결국 세종시 수정안 부결이라는 결과로 이명박에게 큰 타격을 안기면서 복수극을 벌인 셈이었다. 이런 보복 관계에서 볼 때에도 박근혜는 기회주의 보수를 청산할 수 있는 여러 가지 조건을 갖추고 있는 것이다. 이런 면에서, 총선을 통해 진보 진영이 200석 이상의 압승을 거두는 것을 전제로 차기 대권이 박근혜에 가는 것이 기회주의 보수의 청산을 위해서는 더 나은 시나리오일 수도 있다.

그런데, 최근 들어서 변화가 감지되고 있다. 박근혜가 침묵하고 있는 것이다. 이것은 그 전까지 보아온 침묵과는 다르다. 이전의 침묵은 대립 속에서 절제된 말과 행동으로 꾹꾹 참다가 중요한 순간에 강한 어퍼컷을 날리는, 다시 말해 공격을 위한 침묵이었다면 지금의 침묵은 그냥 침묵으로, 정권과 협력기조를 보이는 상황 속에서 이루어지는 침묵이다. 여기에 대해서는 정치 전문가들 사이에서도 조금씩 의견이 엇갈리고 있는데, 그 시점을 세종시 수정안 문제에서 승리를 거두고 난 다음으로 진단하는 이들이 있는가 하면, 저축은행 수사가 이루어지기 시작할 무렵부터라고 보는 이들도 있다.

이유야 어떻게 됐든, 이렇게 박근혜의 태도가 변하자 그동안 가져왔던 선명성이 빛을 잃기 시작했다. 그러면서 기회주의 보수와 모태 보수가 확실하게 구분되지 못하다 보니 한 묶음으로 엮이고 있는 상황이다. 이렇게 되면 다시 힘은 야당 쪽으로 기울게 된다. 사람들이 야권의 차세대 주자가 될 만한 새로운 얼굴들을 찾고 있다. 안철수 현상에서 볼 수 있듯이, 난공불락인 줄만 알았던 박근혜의 지지율을 한때 따라 잡을 정도로 폭발적인 관심이 일어나는 것도 같은 맥락이다.

모태 보수가 기회주의 보수를 날리고 그 자리를 대체할 절호의 기회를 과연 잡을 수 있는가, 어디 한번 짚어 보자. 모태 보수의 정치적 위력이 박근혜를 제외하고는 너무 약하다는 점, 이점은 분명 걸림돌이다. 박근혜 말고는 누가 있을까? 대권 후보로 정몽준이 거론되긴 하지만 박근혜에 비하면 한참 약하다. 2002년 때의 단일화 약속 파기, 뉴타운 거짓말 논란, 최근 국회 반말 논란과 같은 사례에서 보듯이 그는 '버릇 없고 믿음이 안 가는, 버스비가 얼마인지도 모르던 재벌집 도련님'이라는 달갑지 못한 이미지에 고착되고 말았다. 그나마 모태 보수 중에서 이 두 사람을 제외하면 주도권 싸움에 뛰어들 사람이 없어, 그 힘이 한참 부족한 현실이다.

결국 박근혜를 중심으로 한 모태 보수 진영이 2012년의 좋은 기회를 살리지 못하고 기회주의 보수를 제압하는 데 실패한다면 두 진영이 뭉뚱그려지면서 박근혜는 이전에 쌓아 왔던 이미지를 상당 부분 잃는 결과를 가져올 것이다. 이미 오랫동안 정치권에 노출되어 있었던 박근혜는 뭔가 새로운 이미지를 얻기는 힘들다. 그렇다면 자신이 가지고 있던 것을 잘 지키기라도 해야 한다. 그런데 박근혜 진영이 자신들의 힘으로 주도권을 잡지 못하고 기회주의 보수와 얽히면서 이들의 부도덕한 이미지까지 뒤집어쓰게 된다면, 보수로서는 최악의 시나리오를 맞이하게 될 것이다.

분석
Point

혹시 박근혜가 이 책을 보게 될까 봐 한마디.
모태 보수도 기회주의 보수의 장점을 배워야 한다.
우물쭈물하지 말고 몸을 던져라.

한나라당,
빅뱅은 없다

.

,

국민의 지지가 아쉬울 때마다
환골탈태를 부르짖는 보수 여당.
그게 쉽게 될까?

2010년 지자체 선거에서부터 한나라당에는 위기의
식이 번지기 시작했다. 2011년에 서울시를 무대로 벌어진 대형
선거판 2종 세트, 곧 무상급식 주민투표와 서울시장 보궐선거가 한나라
당의 무참한 패배로 끝나면서, 이대로 가다가는 2012년의 총선과 대선
역시도 진보 진영에게 정권을 넘겨주는 결과로 끝날 것이라는 위기의
식이 점점 부풀어 오르고 있다.

바꿔서 된다면 당명도 바꿀 수 있다

10.26 보궐선거 이틀 뒤, 한나라당 홍준표 대표는 "한나라당은 과거 13년간 야당이었고, 민주당과 달리 정권을 창출한 후에도 한나라당 이름은 그대로였다"면서 "바꿔서 된다면 당명도 바꿀 수 있다" 라고까지 말했다. 일부에서는 정권 말기에 흔히 벌어지는 빅뱅, 곧 여당이 대통령과 거리를 두는 정도를 벗어나서 아예 반기를 들어버리는, 예를 들어 대통령에게 탈당을 요구하는 사태가 벌어질 수도 있지 않을까, 하고 점치기도 한다.

정말로 그런 빅뱅이 벌어질 수 있을까? 글쎄, 이번은 좀 다를 것 같다. 그 이유를 분석하기 위해서, 이 책의 #2에 나왔던 글 '이명박의 측근, 박근혜의 측근'에다 언급했던, 권력자가 휘두를 수 있는 힘의 세 가지 수준을 복습해 보자. 가장 낮은 수준은 직접적인 힘으로 억누르는 것, 중간 수준은 안 되게(어떤 것도 하지 못하게) 하는 것, 그리고 가장 높은 수준은 잘못을 알고도 감싸주는 것이다.

여기서 다시 한 번 '잘못을 알고도 감싸주는 힘'을 좀 더 파들어 가보자. 이 힘은 포지티브 전략과 네거티브 전략, 두 가지로 써먹을 수 있다. 포지티브 전략은 자신의 측근들에게 주로 활용하는 전략이다. 이것은 '너희들의 그렇게 많은 비리에도 불구하고 내가 감싸주었으니 나에게 충성을 다해야 한다'라는, 이익의 교환이라고 할 수 있다. 반면 자신에게 도전하거나 '개길' 것 같은 사람들에게는 이 힘을 네거티브 전략으로 써먹는다. 다시 말해서, '내가 너의 비리를 쥐고 있으니까 까불면 공개해 버리겠다'라는, 무언의 협박인 것이다.

도대체 이명박이 쥐고 있는 그 협박 카드는 무엇일까? 야당의 정치인들과 많은 정치 전문가들이 지목하고 있는 것 중에 하나는 '저축은행 비리'다. 부실 저축은행 비리 사건은 그 규모와 파장, 연루된 것으로 지목된 정치권 인사들의 리스트에도 불구하고 슬그머니 용두사미가 되어 버렸다. 특히 정치권 인사들이 가장 많이 엮여 있는 것으로 추정되는 삼화저축은행 건은 그야말로 흐지부지 되어 버렸다. 이 문제를 두고 많은 의혹들이 생겨났다.

이 문제의 속살을 들여다 볼 수 있는 몇 가지 사실들이 있다. 첫째로, 민주당 홍영표 의원이 국회 대정부질문에서 밝힌 내용에 따르면 삼화저축은행 신삼길 회장과 정진석 청와대 정무수석(삼화저축은행 사외이사를 지냈다), 그리고 박지만이 아주 가까운 사이이며, 박지만의 부인인 서향희 변호사는 삼화저축은행의 고문으로 일을 했었는데 신 회장이 구속되는 등 사건이 터진 뒤에 고문을 사임했다는 것이다. 여기서 박지만은 누구? 박정희의 아들이자 박근혜의 남동생이다.

삼화저축은행과 박지만의 관계에 대한 의혹이 불거졌을 때, 박근혜의 반응도 눈여겨볼 만하다. 2011년 6월 7일 박근혜는 "누구보다 본인이 잘 알 텐데 본인이 이미 (친구 이상도, 이하도 아니라고) 언급을 했다. 본인이 확실하게 말했으니 그걸로 끝난 것이다."라고 잘라 말했다. 지금까지 침착하고 설득력 있는 말을 통해서 절제된 언행의 모범을 보여 온 박근혜로서는 드물게 논리적으로 앞뒤가 맞지 않은, 감정적이기까지 한 말이다. 본인이 아니라고 하면 아니다? 박근혜의 말대로라면 박명기에게 준 2억에 대한 대가성 여부를 부인한 곽노현도 재판이고 수사고 할 것 없이 무죄다. 안 그런가?

한편 홍준표의 반응도 재미있다. 민주당이 "한나라당 청년위원장을 지낸 이영수 KMDC 회장을 통해 한나라당 전당대회로 삼화저축은행 자금이 흘러갔다"고 주장한 것을 놓고 경향신문 기자가 "이영수 (회장)에게 돈을 받은 것이 있나요?"라고 질문했을 때, 반응이 이랬다. "그걸 왜 물어. 너 진짜…… 너 진짜 맞는 수 있다!" 기자가 지지 않고 "야당이 그렇게 주장하고 있다."고 하자, 홍 대표는 "내가 그런 사람이야? 버릇없이 말이야."라고 말했다. 동네 양아치들한테서 나올 법한 막말이 나온 것이다. 왜 그랬을까?

물론 이것만으로 그 어떤 사실을 단정 지을 수는 없다. 그러나 행간쯤은 읽어볼 수 있다. 정치인들이라면 누구나 적어도 한두 번씩은 의혹에 연루되게 마련이다. 또 기자들에게 관련된 질문을 받게 마련이다. 게다가 정치 초년병도 아니고 정치판에서 '닳도록 닳은' 박근혜, 홍준표가 평소답지 않게 평정심을 잃은 반응을 보였다는 것은 눈여겨 볼 필요가 있다. 두 사람의 이런 과민반응이 결국 의혹만 더욱 부채질한 셈이다.

히든카드, 누가 쥐고 있을까

어쨌거나, 부실 저축은행을 비롯해서 용두사미식 수사로 넘어간 여러 비리 의혹들은 이명박에게 비장의 히든카드 구실을 할 수 있다. 이번엔 일단 덮어주고 넘어갔다. 하지만 실제로 직접이든 간접이든 여기에 연루된 사람들이라면 그 속셈이 무엇인지 잘 알 것이다. 그 옛날 "내가 입을 열면 여러 사람이 다친다"고 말했던 전두환의 남자, 장세동의 말이 자꾸만 머릿속에 떠오르는 건 어쩔 수 없다. 이렇게 되면 정치인들로서는 진퇴양난에 빠진다. 그냥 있자니 이명박 정권과 당이 함께 침몰할 것은 불 보듯 뻔하고, 가라앉는 타이타닉에서 먼저 뛰쳐나가자니 혼자만 표적이 돼서 조준사격으로 정치적 사망을 당할 것 같고, 어쩌면 좋을까 이거?

지금의 청와대와 여당은 서로가 부도덕한 그 무엇으로 엮여 있고, 대통령은 당에서 자기들만 살겠다고 자신의 뒤통수를 칠까봐 그러지 못하도록 끝까지, 히든카드를 적극 활용할 것이다. 적어도 총선 때까지는 이렇게 갈 확률이 크다고 본다. 총선이 끝나면 선거법 위반 문제도 걸려 있기 때문에 대부분의 의원들 역시 함부로 움직이기 힘들 것이다. 그렇다면 대선까지 과연 이런 구도가 이어질까?

그 열쇠는 청와대도 여당도 아니고, 의외로 검찰이 쥐고 있다. 갑자기 검찰에게 강력한 카드가 하나 떨어졌기 때문이다. 바로 대통령의 내곡동 사저 문제다. 이 문제는 상식적으로 누가 봐도 명백한 실정법 위반이다. 물론 정권 말기에 검찰도 자신의 뒤통수를 칠지도 모른다고 판단한 이명박은 법무부 장관과 검찰총장을 자신의 심복으로 앉혀 놓는 꼼꼼함을 보였다. 하지만 대선이 코앞에 오면 문제는 달라진다. 정권교체가 가시화될 경우, 이명박 정권 내내 편파수사의 이미지를 확실하게 굳혀 놓은 검찰 역시 조직 전체가 위기에 놓일 수밖에 없다. 참여정부 초기에 맞닥뜨렸던 개혁의 태풍이 폭풍 정도라면, 다음 정권에서는 초대형 허리케인을 맞을 수밖에 없을 것이다. 그 때 목숨이라도 부지하려면 어떻게 해야 할까? 검찰은 '내곡동 가까이'에서 그 답을 찾으려고 할지도 모른다.

이렇게 보면, 대선이 거의 코앞에 올 때쯤 빅뱅이 터질 여지도 있다. 청와대와 여당, 그리고 사정기관이 부도덕의 사슬로 묶여 있는 상황에서 누군가는 탈출하려고, 누군가는 죽어도 같이 죽자고 발목을 잡으면서, 서로 눈치싸움만 치열하게 벌이고 있다. 하지만 언젠가는 곪아 터질 것이다. 빅뱅이 늦게 터질수록 진보 진영은 이익이다. 늦어지면 늦어질수록, 혹시 제대로 터지기도 전에 대선까지 가 버리면 청와대와 여당은 손도 못 써보고 함께 침몰할 것이기 때문이다. 이런 것을 전문용어로 일타쌍피라고 하는 것이다.

몰락 Point

서로 물고 물리는 **보수의 세계,**
야생 버라이어티도 울고 갈 듯하다. 그들의 끝은
더 말할 필요도 없다. 꼼꼼하게 지켜보자.

뉴(New) 하지 않은 뉴라이트의 슬픔

;

가격을 올리거나 내용물을 줄여 출시한 과자 포장지에
새로 붙은 카피를 보면 늘 이렇다.
"더욱 새로워졌습니다", "더욱 맛있어졌습니다" 정말?

보수에 관련된 이름을 훑어보다 보면 한 가지 재미
있는 현상을 발견할 수 있다. 유독 '새', '신(新)', '뉴(New)'가
많이 쓰인다는 사실이다. 일단 최근에 가장 많이 등장하는 단어로 뉴라
이트가 있다. 한나라당의 전신은 신한국당이었다. 한나라당이 대선자
금 파동으로 천막당사로 이사 갔을 때에는 'New 한나라당'을 캐치프
레이즈로 내건 바 있고, 2011년 들어서는 '뉴 비전'을 들고 나왔다. 왜
그럴까?

이유는 간단하다. 보수도 자신들의 이미지가 낡고 고루하다는 것을 알
고 있고, 그런 이미지를 무척 싫어하기 때문이다. 그러다 보니 '뉴'라는

이름에 집착하게 마련이다. 그런데 그들이 잘 느끼지 못하는 게 있다. 이렇게 '뉴'라는 말에 집착할수록 결국 낡고 고루한 자신들의 이미지만을 더 부각시키게 된다는 사실이다.

순복음교회라는 이름에 붙은 순(純)은 말 그대로 '순수하다'는 뜻이다. 하지만 조용기 일가의 교회 돈 유용 의혹 등 순복음교회가 보여주는 모습을 보면 어디 순수하다고 볼 수 있는가? 가짜 참기름일수록 '100%', '순', '진짜'를 외치고, 원산지 속이는 고기집이 오히려 '100% 국산', '국산 아니면 환불' 같은 오버를 하는 것과 마찬가지로, 원래 진실이 의심스러운 집단일수록 겉으로는 그럴싸한 간판을 내거는 법이다. 아주 잘 보이게 네온사인까지 둘러서 말이다.

한나라당이 'New 한나라당'을 내세웠을 때에는 '차떼기'로 대표되는 이들의 구태가 만천하에 드러났을 때였고, '뉴 비전'을 내세운 배경에는 지자체선거와 보궐선거에서 쓴 맛을 보고 복지에 무관심하다는 비난의 화살을 맞을 때였다. 자신들의 낡은 사고방식이 사람들에게 실망과 분노를 살 때마다 보수는 본능적으로 '뉴'를 찾았다.

이렇게 '뉴' 좋아하는 보수가 가진 진짜 심각한 문제는 자신들이 내세우는 간판과는 달리 실제 행동은 전혀 '뉴' 하지 않다는 사실이다. 과연

'뉴'를 내세웠던 보수 인사들이 예전의 보수와 보여준 차이는 무엇이었는가? 한마디로 '없다'. 뉴라이트를 배경으로 하고 있는 이명박 정권에서는 교과서에 있는 '민주주의'란 말까지 억지로 '자유민주주의'로 고치려고 든다. 하지만 이 정권에서 오히려 표현의 자유와 집회 시위의 자유를 비롯한 여러 가지 자유가 오히려 후퇴하고 있다. '자유민주주의'에 자유가 없는 것처럼 '뉴라이트'에는 뉴가 없다. 오히려 상태가 더 안좋아지는 게 문제다.

뉴라이트에서 그나마 우리가 찾을 수 있는 '뉴'라면 기껏해야 얼굴 정도일 것이다. 뉴라이트가 형성되는 과정을 되짚어보면 과거 운동권이었던 인사들이 눈에 뜨인다. 이른바 '강철서신'으로 한때 NL 계열 운동권의 대표적인 이론가였던 김영환을 필두로 해서 홍진표, 최홍재와 같은 인물들이 있고, 이들의 선배격이라 할 수 있는 대표적인 뉴라이트 인사 신지호 역시 한때 PD 계열에서 활약했던 인물 가운데 하나다. 자, 그래서 이 사람들이 들어와서 도대체 어떤 새 바람을 일으켰고, 보수를 어떻게 변화시켰는가? 없다. 글쎄, 신지호가 〈100분 토론〉에서 음주방송의 새 지평을 연 것 정도일까?

이것은 단지 뉴라이트만의 비극이 아닌, 대한민국 보수 세력 전체가 가지고 있는 비극의 시작이다. 낡고 고루해 보이는 이미지를 탈피하기 위해서 끊임없이 노력하고, 그래서 이름에 '뉴'를 넣어 보려고 이것 저것 시도하고, 과거의 운동권 출신들을 끌어다가 간판을 바꾸려고 부단히 노력한다. 하지만 아무 것도 새로워지지 않는다. 새로움을 기대하게 했던 왕년의 운동권들은 오히려 기회주의 보수가 되어 구태에 찌든 모습을 보이면서 대중들의 실망을 부채질한 자살골만 잇따라 넣었을 뿐이다.

보수라는 번데기는 언제나 '뉴'라는 고치를 짓고 틀어 앉아서 환골탈태를 꿈꾼다. 그런데 그 고치를 깨고 나오는 것은 환골탈태한 나비가 아니라, 언제나 그냥 다시 번데기다. 한두 번이라야 속지 언제까지 사람들이 속아 넘어갈까? 한나라당이 '뉴 비전'을 들고 나왔지만 사람들의 반응은 썰렁하다. 서울시의 무상급식 주민투표에서 한나라당은 무상급식 대신 무상보육을 들고 나왔지만 참담하게 외면당했다.

최근 들어서 보수 진영 안에서도 뉴 마케팅은 실패로 진단하고 있는 것으로 보인다. 뉴라이트 진영은 올해 들어서 급속도로 영향력을 잃었고, 이명박 정권이 점점 힘을 잃어가는 추세에 맞물려서 오히려 박세일 교수와 같이 오랫동안 보수에 몸담아 왔던 사람들이 서서히 세력을 확장해 나가는 조짐이 보이고 있다. 모태 보수를 기반으로 하고 있는 이들 세력이 "중도는 물론 합리적 좌파와 공존까지도 모색한다"라면서 뉴

라이트보다 더 '뉴'한 모습을 보이고 있는 것은 어찌 보면 아이러니하
기까지 하다.

사람들은 새로워진 **옛날 물건**을 원하지 않는다.
새로 등장한 **리마커블한 그 무엇**을 갈망한다.
그것이 무엇이든, 보수에서 발견하긴 어렵다.

공부 안하는 보수, 몰락을 재촉한다

.
,

공부 안 하고도 지금껏 버텨온 실력은 인정한다.
그런데 앞으로도 그렇게 버틸 수 있을까?

나이 오십을 넘긴 보수 성향의 대학교수를 만나서 애기할 기회가 있었다. 대화를 마치고 난 느낌은, '참 공부 안 한다'는 것이었다. 일단 책을 안 읽는다. 누구보다도 연구하고 공부해야 할 대학교수인데, 책조차도 안 읽는다는 것은 얼마나 공부에 게으른지를 잘 보여준다. 그 분의 변명은 그랬다. 나이가 들면 시력이 나빠지고 눈이 침침해져서 책이 눈에 잘 안 들어온다는 것이다.

세월이 가면 몸이 늙는 건 어쩔 수 없으니 이해가 가는 측면도 있다. 그러면 말수라도 줄이든가. 이 대학교수도 그렇고, 공부 안 하는 게으른 보수 인사들도 자신들이 젊은 세대들에게 밀려서 대화의 장에서 소외된다고 느끼면 존재감을 드러내기 위해서 계속 뭔가를 떠든다. 하지만 듣는 사람들에게 그것은 소음에 불과할 뿐이다. 공부를 안 하니 논리도 근거도 한참 허술하고, 논법은 속된 말로 '쌍팔년도'에서 벗어나지 못한다.

공부를 안 하는 문제는 대한민국 보수가 안고 있는 가장 큰 폭탄 가운데 하나이고, 보수가 몰락할 수밖에 없는 주요한 원인 가운데 하나다. 게다가 공부는 안 하지만 자신들의 직관이 모두 옳다고 착각한다. 그렇기 때문에 소외 당하지 않기 위해서 끊임없이 목소리를 높인다. 문제는 그 결과가 자신들의 무식함만 만천하에 드러내는 꼴이라는 점이다.

비슷한 예가 보수적인 대형 교회의 목사들이다. 진보 진영 인사를 하나님의 이름을 팔아서 저주하는 것은 이들의 단골 메뉴다. 촛불시위에 참여한 사람들을 사탄의 무리로 매도한 대운하 전도사 추부길을 비롯해서 박원순 서울시장 후보를 사탄으로 매도한 김홍도, 그리고 사탄과 싸우기 위해서 정치한다는 전광훈까지, 이들 목사들에게 사탄으로 저주받은 사람들은 수도 없이 많다.

물론 상식적으로 보면 어처구니없는 망언이다. 하지만 이런 말을 아무렇지도 않게 하는 목사들은 적어도 내부 결속력은 다질 수 있다고 믿는다. 한국에 있는 대부분의 대형 교회에게 가장 중요한 것은 헌금 액수,

교인 수, 그리고 건물 규모다. 이런 기반이 무너지면 대형 교회 목사는 망할 수밖에 없다. 이런 탐욕을 사회적으로 욕하고 비난하는 세력들이 있지만 사탄으로 몰아세우면 교회 안에서는 얘기 끝이다.

지금은 세상을 떠난 옥한흠 목사는 2007년에 처절하게 자신을 반성한 적이 있었다. "주여! 이놈이 죄인입니다. 입만 살았다고 떠들고 행위가 죽어버린 한국 교회를 만든 장본인입니다." 그러면서 그는 이렇게 덧붙였다. "교인들에게 '행함이 따르지 않는 믿음은 거짓 믿음이다. 구원을 받을지 책임질 수 없다'고 하면 사람들 얼굴이 싸늘해집니다. 그래서 회개나 반성보다 듣기 좋고, 부드러운 말을 골라 하는 저를 발견했습니다. 저도 모르게 복음을 변질시켰습니다."

회사도 직원이 500명이 넘어가면 직원들 월급 주는 게 목적인 회사로 변해가고, 창업 초기의 역동성이나 창조성은 사그라진다. 교회도 교인들이 500명이 넘어가면 교인 숫자 유지하는 게 목적이 되어 버린다. 교인들을 바른 길로 이끌기보다는 교인의 숫자를 늘리는 데 집착한 한국 교회의 병폐가 여기에서 드러난다. 이렇게 성장한 교회는 회개하고 반성하라는 말을 못 한다. '고난 중에 하나님이 옆에 계셔서 도움을 줄 것이다'라는 식으로 사탕발림만 하고 교인들이 성찰할 여지를 주지 않는다. 외환위기 때 적지 않은 교회에서는 "어려운 때일수록 헌금 더 많이 해라, 그럼 복 받는다." 라고 교인들에게 외쳤다. 왜? 헌금 줄어들까봐.

이것은 단지 보수 교회와 목사들만의 문제가 아니라 보수 전체가 안고 있는 고질적인 문제다. 성찰하지 않으니 무엇이 부족한지 모른다. 그러니 공부도 안 하고 자신의 직관만 믿고 떠들어댄다. 그러니 사람들은 점점 등을 돌리고 외면하는데, 보수의 테두리 안에 있는 사람들은 자기들끼리 열광한다. 자신들이 하는 말이 사람들에게 폭넓게 지지를 받고 있다고 착각한다. 비난하는 사람들은 좌파고, 빨갱이고, 사탄이다.

물론 아직까지는 숫자상으로 보수가 많기 때문에 이런 착각도 자유다. 하지만 갈수록 골이 깊어져 간다. 새로운 젊은 세대들은 계속해서 출현한다. 가랑비에 옷 젖는 줄 모르듯이 천천히 자신들의 지지층이 빠져나가는 줄 모르고 무식한 소리를 자랑스럽게 떠들고 있다.

요즘 들어서 '강남좌파'라는 말이 정치 사회계의 화두가 되고 있다. 적어도 중산층 이상의 안정된 생활 기반을 가진 기득권층에서 왜 스스로를 좌파라고 생각하는 사람들이 늘어나고 있는 것일까? 여러 가지 이유가 있겠지만 대한민국 보수의 무식함에 질려버린 것도 한 가지 중요한 이유다.

강남좌파들은 높은 교육 수준, 그리고 자신들이 가진 풍족한 생활에 대한 책임의식을 가진 사람들이다. 만약 대한민국의 보수가 열심히 공부하고 제대로 된 논리를 갖추었다면, 이들은 합리적인 성향의 모태 보수가 될 수도 있었을 것이다. 하지만 무식한 한국 보수들의 어처구니없는 말과 행동, 그리고 자신들과 생각이 다르면 덮어 놓고 좌파로 매도하는 행태에 염증을 느끼고 기꺼이 좌파가 되기로 결심한 것이 아닐까.

시대를 막론하고, 나이를 막론하고, 공부는 중요하다. 시대에 뒤쳐지지 않고 변화를 따라잡기 위해서 우리는 죽을 때까지 공부해야 한다. 공부하지 않는 보수가 과연 언제쯤 시대 변화에 자신들이 까마득하게 뒤쳐져 있다는 사실을 깨닫게 될까? 지금 보여주는 행태로 미루어보면 한참 멀었다. 비로소 깨달았을 때는 이미 대중들에게 외면 받고 몰락해 버린 뒤일 것이다.

몰락
Point

보수든 진보든 공부 안 하면 밀려난다.
진보는 늘 그랬고 보수는 **예전엔 괜찮았겠지만**,
이젠 보수도 공부해야 살아남는 시대다.

20대,
각성하다

•
,

20대가 세상을 바꾸고 있다.
자신을 위해, 세상을 위해 힘을 내는 20대가 보인다.

2010년부터 주목할 만한 한 가지 현상이 나타났다.
드디어 20대가 각성하기 시작했다는 사실이다. 2008년 총선에서
28.5%에 지나지 않았던 20대 세대의 투표율은 2010년 지자체 선거에
서 41.6%로 뛰었다. 10.26 서울시장 보궐선거에서 박원순 후보를 압승
으로 이끈 원동력이 20대에서 40대에 이르는 젊은 세대의 대반란이었
다는 사실은 보수든 진보든 이견이 없다. 특히나 박원순에 대한 20대
의 압도적인 지지는 '20대 보수화론'을 떠들어 대던 조중동에게 제대
로 한방 먹인 셈이다.

90년대까지의 20대, 특히 대학생들은 학습을 통해서 각성한 세대라고

할 수 있다. 대학교에서 선배들을 통해서, 동아리를 통해서, 현실에 대해서 자각하게 되고 학습을 통해서 이념에 대해 깨우치는 과정을 겪었다. 하지만 지금의 20대는 이런 과정이 거의 사라졌다고 해도 과언이 아니다. 그렇기 때문에 치솟는 등록금과 생활비, 그에 비하면 형편없이 저임금인 아르바이트에 시달리면서도 이러한 문제를 구조의 문제로 이해하지 못했다. 열심히 스펙을 쌓아서 경쟁에서 이기면 자신은 잘 살 수 있을 거라고 기대했다.

그래서 이들은 정치에 무관심했다. 조중동은 20대가 보수화되었다며 자기들 편으로 끌어들이려고 했지만, 그들은 보수와 진보 모두를 불신한 것뿐이었다. 제대로 된 정보를 받아들이지 못하고 논리적인 인식 구조를 갖추지 못해서 청년 보수가 된 경우를 제외한다면 말이다. 보수도 그렇지만 진보 진영이 집권한 10년도 보아 하니 별 볼일 없었다. 정치에 시간 낭비할 시간 있으면 스펙 쌓는 데에 투자하는 편이 훨씬 쓸모 있다고 생각했다. 이는 2008년 총선에서 30%에도 미치지 못하는 투표율로 나타났고, 거센 비난에 맞닥뜨렸다.

하지만 생활 속에서 계속해서 부딪치게 되는 어려움, 아무리 높은 스펙을 쌓으려고 경쟁해도 결국은 승자와 패자는 있을 수밖에 없다는 현실 속에서 이들은 좌절하고 분노하게 되었다. 그리고 천천히 각성이 시작되었다. 하지만 보수는 이걸 몰랐다. 지금까지 무지몽매 보수를 다뤄왔던 것과 똑같은 방식으로 조중동을 앞세워서 보수 이데올로기를 주입시키면 이들 역시도 쉽게 보수로 만들 수 있을 것이라고 착각했다. 이들은 안심하고 반값 등록금 공약을 휴지조각으로 만들어 버렸다.

그런데 20대에게는 무지몽매 보수들에게 없는 것이 있었다. 인터넷에서 스마트폰으로, 포털 사이트에서 블로그로, 그리고 SNS로 진화한 정보 채널이었다. 이를 통해서 서로 소통하고 교류하면서 서서히 자신들의 현실에 눈을 뜨기 시작했다. 20대에게 정치의식과 역사의식 부재를 비난했던 선배 세대들 역시도 이들을 힘든 현실 속에 방치한 것에 대한 미안함을 느끼고 적극적인 소통으로 이들의 각성을 도왔다.

보수로서는 이러한 20대의 각성은 당혹스러울 수밖에 없었다. 무엇보다도 이 세대를 도대체 어떻게 다루어야 할지, 갈피조차 잡을 수 없었기 때문이다. 예전의 운동권들은 심각한 사람들이었다. 보수와 진보가 서로에게 겁을 내고, 그러다 보니까 서로 더 험악한 표정으로, 더욱 높은 목소리로 기싸움을 하는 식이었다. 그런데 이 새로운 세대는 정치를 하더라도 심각하지 않고 유쾌하게, 재미있게 즐기려고 노력한다. 그러니 기존의 수법이 통할 리가 없다. 아무리 윽박지르고 사나운 표정을 지어도 상대방은 낄낄거리면서 웃어대고 놀려대니 보수로서는 미칠 노릇이다. 생활이 정치와 따로 떨어져 있지 않다는 것을 자각한 젊은 세대들로서는, 예전에는 정치가 자신과는 상관없는 스트레스 거리였지만 이제는 생활 속에서 쌓여온 스트레스를 푸는 창구가 된 것이다.

그래서 보수도 나름대로 노력을 한다. 트위터도 하고 페이스북도 하고, 인터넷 방송도 한다. 문제는 먼저 하는 게 없이 만날 베끼기만 한다는 거다. 진보 진영에서 뭔가 새로운 시도를 해서 이것이 성공을 거두면 '어? 이거 인기 있잖아? 우리도 가만있을 순 없지.' 하는 마음에서 따라한다. 그러다 보니 아류를 못 벗어난다. 안 그래도 낡고 고루하다는 이미지에 시달리는 보수에게 이제는 '따라쟁이'란 이미지까지 생긴 것이다.

20대의 각성은 보수에게는 한마디로 재앙이다. 20대와 30대의 각성은 야당 후보가 한 번도 당선되지 않은 분당을 지역구에서 손학규를 당선시켰다. 마지막 한 시간 동안 투표율이 무려 6.3%나 치솟아 오른 기적은 각성한 젊은 세대가 어떤 파괴력을 몰고 왔는지 여실히 보여주었다. 이는 서울시장 보궐선거에서도 똑같이 나타났다. 과거에 오전 투표 시간은 보수층 유권자들의 독무대로 여겨져 왔지만 이번에는 오전 시간에 등굣길 혹은 출근길에 투표한 젊은 유권자들이 눈에 띄게 많았다. 그 결과, 다시 한 번 분당을의 기적이 터지고 말았다. 막판 한 시간 동안 투표율이 5.7%나 뛰어 올랐다.

이 승리는 중요한 의미를 가지고 있다. 많은 젊은 세대들은 승리에 대한 기억을 별로 가지고 있지 않다. 현실 속에서 이들은 쓰라린 패배를 맛보았다. 그런데 이제 투표를 통해서 승리를 맛보기 시작한 것이다. 그리고 자신들의 작은 참여가, 다른 사람들을 참여로 이끄는 리트윗 하나, 메시지 하나가 놀라운 승리를 가져온다는 사실을 깨달았다. 이런 경험은 앞으로도 계속 이길 수 있다는 자신감으로 이어진다.

이제 이 승리가 실제로 젊은 세대들의 삶을 어떻게 개선시킬 수 있을까? 이것은 승리를 통해 권력을 잡은 정치인들이 해야 할 일이다. 강남 3구로 대표되는 기득권층의 충성스러운 몰표에 보수 진영이 철저한 기득권 챙기기로 보답한 것처럼 진보 진영도 확실한 '매우 만족' 고객 서비스를 실천할 때다. 이번에도 또다시 자신들에게 표도 안 찍어준 기득권층의 눈치를 보면서 끌려 다니면 결국 진보와 보수 모두로부터 버림 받았던, 참여정부의 뼈아픈 실책을 되풀이 할 수밖에 없다.

각성한 20대의 생각은 예전 세대들보다는 잘 구조화되어 있지 않다. 선배와 책을 통해서 체계적인 학습을 받아서 생각을 구축한 게 아니라 현실 속에서 조금씩 얻은 경험, 그리고 인터넷을 통해서 단편적으로 얻은 정보들을 모으고 모아서, 그래서 자기 머릿속에서 구체화 한 결과물이기 때문이다. 하지만 옛날에는 없던 장점도 있다. 비록 덜 체계적이긴

하지만 생생하게 살아 있고 유연하게 발전하는 사고방식을 가지고 있다. 옛날의 진보가 가졌던, 똑똑하지만 너무 어렵고 고집불통인 그런 이미지가 없다. 그렇기 때문에 이들을 옛날식 진보나 보수라는 틀로 묶어서는 곤란하다.

그래도 20대에게 공부는 필요하다. 체계화 하지 않으면 결국 상황 변화에 따라서 생각이 일관성을 갖기 어렵기 때문이다. 90년대까지의 운동권이 읽었던 사회과학 책을 그대로 읽을 필요는 없다. 그래도 인문학적 기본기는 어느 정도 갖춰 놓을 필요가 있다. 세상 속에서 맞부딪치는 온갖 문제에 대처하고 무엇이 올바른 선택인가, 끌려가는 사고가 아닌 나 자신의 생각을 하고 그 생각이 일관성을 유지하도록 만들 것인가를 생각한다면, 쉽게 풀어 쓴 인문학의 고전들을 읽어 가면서 생각을 가다듬을 필요가 있다. 장담한다. 가다듬어진 일관된 생각은 토익 점수만큼이나 젊은 세대의 삶에 도움이 된다.

20대, 여러분이 옳다. **네 멋대로 해라.**

Outro.
당당하게, 그리고 유쾌하게

당당하게,
그리고
유쾌하게

；

웃으면 복이 온다는 말을 이렇게 바꿔 말하고 싶다.
웃으면 힘이 난다. 웃으면 이길 수 있다. 크게 웃자.

공익근무요원으로, 휴전선 대신에 동호대교를 지키
던 시절, 그러니까 1995년의 일이다(이걸 가지고 혹시나 병역
의혹 어쩌고저쩌고 수작 부릴 꿍꿍이를 생각하는 사람이 있다면 날 한 번도 본 일
이 없는 사람일 것이다). 어느 날 난데없이 위에서 감사가 들어왔다. 하는
꼴을 보니 타깃이 나였다. 가만 생각해 보니까, 괘씸죄였다. 감사 나오
기 얼마 전, 근무지의 불합리한 구조를 〈조선일보〉에다 투고했고(그 때
는 청년 보수였으니까), 실명과 함께 투고가 게재되었다. 그걸 보고 '어디
뭐 하나 걸리기만 해 봐라' 하고 치사한 보복 차원에서 나온 감사였다.

하지만 내가 뭐 잘못한 게 있나? 감사 해볼 테면 해보라지. 나는 당당했

다. 결국 감사는 먼지만 털다가 끝났다. 그 일을 통해서 한 가지 배운 점이 있다. 내가 당당하다면, 그래서 겁먹지 않고 자신감을 가진다면 보복은 두렵지 않다는 것이다. 물론 보복으로 불이익을 당할 수는 있을 것이다. 보복이라면 많이 당해 봤다. 조용기를 비판했다고 극동방송에서 잘리고, 노조 활동을 했다고 CTS 기독교TV에서 잘렸다. 시사평론가가 된 이후에도 이런저런 외압으로 맡고 있던 프로그램에서 잘린 것이 어디 한두 번인가? 노무현 전 대통령이 서거한 날, CBS 〈시사자키〉의 오프닝 멘트가 문제가 돼서 잘렸을 때에는 사내 게시판을 보고 그 사실을 알았다.

만약 그런 보복이 두려워서 할 말 못하고, 스스로를 검열했다면 오늘의 내가 있었을까? 아마도 이런 책을 낸다고 해도 아무도 집어 들지 않았을 것이다. 내가 잘났으면 얼마나 잘났다고 사람들이 내가 쓴 책을 사 볼 마음이 들겠는가? 하지만 보복이나 작은 불이익 앞에서도 기죽지 않고 버텼던 그 뚝심 하나라도 있으니, 지금 김용민이란 놈이 도대체 무슨 소리를 하는지 궁금했으리라 생각한다.

등을 보이지 마라!
당당해야 이긴다.

나는 덩치만 컸지 싸움은 못한다. 하지만 기본적인 싸움의 법칙은 알고
있다. 싸움의 법칙 중에서 '등을 보이면 안 된다'는 얘기가 있다. 상대방
에게 한 방 맞았다고 해서 겁먹고 등을 돌리면, 그 때는 무방비 상태가
된다. 상대는 '아하, 저놈 겁먹었네? 다음 카드가 없구나.' 하고 그 때부
터는 안심하고 무차별 공격을 한다. 물론 한 대 맞으면 정신이 얼얼하
고 다리에 힘이 풀리는 건 어쩔 수 없다. 그래도 의연하게 버텨야 반격
할 기회도 있다.

그렇다면 어떻게 상대방의 펀치를 받아줄 것인가? 지금까지 진보 진영
은 아주 심각한 표정으로 저항했다. 목이 터져라 구호를 외치고 비장한
용어들을 쏟아냈다. 상대방보다 내가 더 무섭다는 사실을 보여주려는
듯이 험악하고 날카로운 표정을 짓기도 했다. 물론 그런 비장함이 필요
할 때도 있다. 하지만 항상 그렇게 진지하고 비장하게만 싸우기는 너무
나 힘들다. 너무 힘들면 지치게 된다. 지치면 포기하게 된다. 참여정부
총리를 지냈던 이해찬은 이렇게 말했다. "포기하면 좌절하고, 좌절하면
변절한다. 일제에서 독립운동할 때 가장 변절을 많이 한 시기가 1939년
에서 1943년까지다. 그즈음 '우리가 도저히 독립 못하겠구나' 하고 많

이 변절했다. 그게 다 포기하고 좌절했기 때문이다." 기회주의 보수로 변절한 어제의 진보 인사들도 마찬가지다. 이재오, 김문수는 민중당이 총선에서 실패하고 나서 '도저히 안 된다'면서 변절의 길로 갔다. 그리고 그 다음에 다른 사람들에 의해 생겨난 것이 훗날 민주노동당으로 발전하는 국민승리 21이었다.

즐겁게 싸워라!
웃을 수 있어야 이긴다.

당당하게 싸우고 유쾌하게 웃자, 이것이 독자 여러분들께 내가 이 책에서 마지막으로 드리는 말씀이다. 표정이 비장하고 목소리가 높을수록 속으로는 더 겁을 먹고 있다는 증거다. 보수와 진보가 서로 경쟁하듯이 더 심각하고 더 험악한 구호를 외치면 누가 유리할까? 똑같이 겁을 먹고 있는 상태라면 가지고 있는 돈과 권력을 비롯해서 써먹을 수 있는 무기가 많은 보수가 더 유리하다.

그렇기 때문에 우리는 유쾌하게, 즐겁게 싸워야 한다. 상대는 내일 세상이 끝장이라도 날 것처럼 험악하게 주먹을 휘두르는데 이쪽에서는 여유 있게 껄껄 웃고 있다면, 심지어 주먹 한 방을 맞고서도 피식, 하고 웃는다면, 상대의 공포심은 더욱 커진다. 그러면 그 공포를 이기기 위해서 더욱 주먹을 휘둘러댈 것이다. 하지만 그런 주먹은 헛방이 많고 초점이 없다. 그러다 보면 제풀에 지쳐버린다. 하지만 이쪽은 에너지가 넘친다. 왜? 유쾌하고 즐겁기 때문이다. 그래서 에너지가 오히려 계속해서 솟아나기 때문이다.

〈나는 꼼수다〉를 많은 사람들이 사랑해 주는 이유도, '왜 이렇게 빨리 안 올라옵니까?'하며 성화를 부리는 이유도, 우리 방송이 즐겁고 유쾌하기 때문이라고 생각한다. 만약 같은 내용을 심각하고 진지하게, 웃음기 없는 말투로 방송했다면 이렇게 사람들이 좋아해 주었을까? 이명박 정권과 자본주들의 언론 탄압과 장악으로 방송도 신문도 할 말 하기 힘든 시대에, '탄압할 테면 탄압해 봐라, 웃겨서 원!' 하듯이 방송 내내 흐르는 출연자들의 당당함과 유쾌함이야말로 이 방송이 가진 가장 큰 힘이라고 믿는다.

"아니 그런데 이 책은 왜 별로 안 유쾌해요?"라고 따져 묻는 분들이 있을지도 모르겠다. '목사 아들 돼지' 김용민은 방송으로 여러분에게 유쾌함을 드리기 위해 노력하고 있다. 하지만 이 책은 여러분들이 다른 사람들을 유쾌하게 만들어 주기 위한 원천을 제공하는 책이다. 당당하고 유쾌해지려면, 그래서 다른 사람들도 당당하고 유쾌해지게 하려면, 알아야 한다. 상대를 알고, 상대의 강점과 약점을 알고, 지금은 힘들고 끝이 안 보일 것 같지만 결국은 상대가 몰락의 길을 걷게 되는 이유를 알아야 한다. '이거 아무리 해도 우리가 못 이기는 거 아냐?' 라고 생각하면 포기하게 된다. 하지만 '지금은 힘들어도 우리가 이길 거야!' 라고 믿는다면 유쾌해질 수 있다.

블로그에서, 트위터에서, 그리고 광장에서, 나는 많은 사람들이 여러 가지 창의적인 아이디어로 유쾌하고 즐겁게 '노는' 모습들을 보아 왔다. 이명박 정권은 농담을 이해하지 못한다. 웃음이 없다. 그래서 언제나 더 강한 힘으로, 더 무자비하게 억압하려고 들기만 한다. 그럴 때마다 우리 크게 한 번씩 웃어 주자. "에이 재미없어! 얼굴 좀 펴라!" 하고 말이다.

이 책을 통해, 여러분이 좀 더 자신감을 가질 수 있다면, 그래서 여러분 주위에 있는 사람들에게 자신 있게 여러분의 생각을 전해주고 즐길 수 있다면 더 이상 바랄 게 없겠다. 그래서 앞에 신나게 웃는 얼굴을 담아 보았다. 여러분도 각자의 개성 있는 표정으로 크게 한 번 웃어 보시길!

대한민국
보수 몰락
시나리오
#부록

보수
완전정복을
위한
추천도서

보수의 실체, 보수의 역사, 보수의 권모술수는 이 책 하나에 담기에는 너무나 방대하다. 보수란 도대체 무엇인지, 변변한 이념조차도 없는 보수가 어떻게 대한민국만이 아니라 전 세계 정치에서 막강한 영향력을 발휘하는지, 더 많은 것을 알고 싶은 분들을 위해 보수 완전정복과 심화 학습을 위한 책들을 소개하고자 한다.

1. 보수는 어떻게 지배하는가

앨버트 O. 허시먼 저 | 이근영 역 | 웅진지식하우스
원서 : The Rhetoric of Reaction – Perversity, Futility, Jeopardy

이 책은 약 200년 동안의 근현대 역사를 되짚어 가면서 보수가 가지고 있는 이념보다는 지배 방식, 곧 정치적 기술에 중점을 두고 있다. 이념은 텅 비어 있고 권모술수만이 남은 한국의 보수에게는 딱 어울리는 책이라고나 할까?

2. 보수정치는 어떻게 살아남았나? : 영국 보수당의 역사

강원택 저 | EAI | 동아시아연구원

영국 보수당은 이념이 전무하면서도 수백 년간 여당 또는 제1야당을 놓치지 않으면서 노동당과 양강 체제를 구축해 왔다. 이런 영국 보수당의 역사를 짚어본다면 한국의 보수가 어떻게 권력과 기득권을 유지해 왔는가를 이해할 수 있다.

3. 감시와 처벌

미셸 푸코 저 | 오생근 역 | 나남출판 | 원서 : Surveiller et Punir – Naissance de Prison

국가는 어떤 방법으로 개인을 지배하는가? 교육, 의료, 치안은 서비스의 영역 인가 아니면 국민들을 통제하기 위한 도구인가. 이 책을 통해서 국가와 개인의 관계에 대해서 깊이 성찰해 보자.

4. 무례한 자들의 크리스마스 : 미국 복음주의를 모방한 한국 기독 교 보수주의, 그 역사와 정치적 욕망

최형묵, 백찬홍, 김진호 공저 | 평사리

한국 정치에서 개신교는 무시할 수 없는 변수로 그 위력을 과시해 왔다. 매 중 요 선거마다 종교적 결집력으로 정치적 세를 과시하는 이유와 맥락을 한국 보 수 교단의 원류라고 할 수 있는 미국 근본주의 개신교에서 찾고 있는 책이다.

5. 정세현의 정세토크 : 60년 편견을 걷어내고 상식의 한반도로

정세현 저 | 황준호 정리 | 서해문집

한국 보수는 반공을 팔아서 무지몽매 보수를 현혹시키고 친일에서 시작해서 부패로 끝나는 추악한 과거를 가려 왔다. 정세현 전 통일부 장관이 프레시안에 연재했던 칼럼을 엮은 이 책은 맹목적 안보관과 대북관을 낱낱이 격파하는 혜 안을 보여주고 있다.

6. 공감의 시대

제러미 리프킨 저 | 이경남 역 | 민음사 | 원서 : The Empathic Civilization

"21세기는 승자와 패자를 가르는 게임에서 윈윈 전략으로, 폐쇄성에서 투명 경영으로, 이기적 경쟁에서 이타적 협업으로, 엘리트 에너지에서 재생 가능한 분산 에너지로, 소유의 시대에서 접속의 시대로 변화할 것이라 예측한다." (책소개 중) 보수의 종말, 그 후에는 어떤 세상이 와야 할까? 이 책을 통해서 보수 이후의 사회를 생각해 보자.

7. 1898, 문명의 전환 : 대한민국 기원의 시공간

전인권, 정선태, 이승원 공저 | 이학사

성리학을 신봉하는 '진리의 나라', 조선에서 보수는 완고했고 정연했고 권위가 있었다. 그러나 개항과 함께 제국주의의 열강이 한반도로 몰려들면서 500년을 지탱해온 성리학적 진리와 신분제 사회는 붕괴하고, '세속의 나라'로 급속하게 바뀌었다. 보수가 탐욕과 속물에 젖게 되는 기점, 바로 1898년을 현미경처럼 들여다보면 한국 보수의 근원이 보일 것이다.

8. 자유 전쟁 : '자유' 개념을 두고 벌어지는 진보와 보수의 대격돌

조지 레이코프 저 | 나익주 역 | 프레시안북 | 원서 : Whose Freedom?

'자유'란 단 하나의 해석만을 갖는 것이 아니다. 같은 단어에 대한 보수의 정의와 진보의 개념 규정은 큰 차이를 보이고 있다. 보수와 진보의 차이와 쟁점은 무엇인지, '자유'에 대한 관념을 바탕으로 판단해 보자.

9. 슬픈 열대 1

C. 레비 스트로스 저 | 박옥줄 역 | 한길사 | 원서 : Tristes Tropiques 1

아메리카를 발견하고 아시아를 발견한 하얀 피부의 그들. 존재는 같지만 누구의 눈에는 개척자요, 다른 이의 눈에는 약탈자로 비춰진다. 지배자의 나라에서 온 사람이 피지배자의 눈으로 브라질 내륙 지방을 여행하면서 쓴, '슬픈 열대' 이야기가 펼쳐진다. 약탈자의 신화는 어떻게 만들어졌는가를 살핌으로써 보수의 신화가 만들어진 과정을 짐작해 보자.

10. 그들이 말하지 않는 23가지

장하준 저 | 김희정, 안세민 공역 | 부키 | 원서 : 23 Things They Don't Tell You about Capitalism

보수는 물론 진보에게까지도 손을 뻗쳐서 대한민국을 지배하는 보수적 자본가의 논리, 그리고 그 주장이 가진 맹점과 숨겨진 진실을 담고 있다. 미국에서마저 '월스트리트를 점령하자'는 대규모 운동을 벌어지고 있는 지금, 아직도 정신 못 차리고 '금융 허브'를 운운하는 이명박 정권이 말하지 않는 것들은 무엇인지, 이 책을 통해서 읽어 보자.

제목	**보수를 팝니다**
부제	대한민국 보수 몰락 시나리오
초판 1쇄 발행	2011년 11월 09일
초판 2쇄 발행	2011년 11월 11일

지은이	김용민
펴낸곳	퍼플카우
펴낸이	김일회·김철원

리마커블한 책을 펴내는 **퍼플카우**는　　(주)퍼플카우콘텐츠그룹의 경제경영·실용·
비소설 단행본 출판 브랜드입니다.

기획·편집	김일회, 송지영, 김지수
마케팅·홍보	김철원, 박소영
사진	천상만
표지·본문 디자인	디자인 [★]규
홍보 디자인	이상민

Special thanks to	가카
자문	서재근, 황덕창
로고 디자인	design co*kkiri
용지	페이퍼릿
필름출력·CTP	(주)한국커뮤니케이션
인쇄·제본	미르인쇄(주)
유통·창고	신영북스
세무회계 지원	박종주세무회계사무소
법무 지원	지오법무사사무소
클라우드 서비스	Google Docs, Dropbox

출판신고	2008년 03월 04일
	제2008-000021호
(주)퍼플카우콘텐츠그룹	서울특별시 문래동 3가 54-5 201호
	(우)150-834
대표전화·팩시밀리	070-8668-8800　(F)070-7500-0555
이메일	purplecowow@gmail.com
커뮤니티	cafe.naver.com/purplecowow
SNS	트위터 purplecowow
	페이스북 facebook.com/purplecowow

책값은 뒤표지에 있습니다.　　잘못된 책은 구입한 곳에서 바꾸어 드립니다.

Dare To Be Remarkab!e　　곧 죽어도 리마커블하게!